감자탕

육개장

김치찌개

게찌개

두부고기전골

라면전골

쇠고기야채전골

내장전골

■ 행복한 가정을 위한 전통 요리의 정수 ■

한국요리

엮은이 임 상 호

은 광 사

머 리 말

사람은 입맛과 기호에 맞도록 요리한 식탁을 마주 대할 때 커다란 행복감을 느끼게 됩니다. 한 가정의 풍요로운 식생활은 그 가족의 건강과 행복의 샘인 것입니다.

오랜 동안 우리의 음식문화 패턴은 사회·경제적인 변화로 부터 영향을 받아 매우 다양하고 복합적인 면으로 변천해 왔습니다.

음식은 사람이 이 땅에 태어나면서 부터 먹기 시작한 것입니다. 건강을 유지하기 위한 식생활의 기본은 사람몸에 필요한 영양소를 섭취하는 데 있습니다. 영양소의 3대 요소인 당질·단백질·지방 뿐만 아니라 신체 기능을 원활히 해주는 비타민·미네랄 등도 균형 있게 섭취해야 합니다.

육류는 지방·단백질의 공급원으로 우수한 식품이지만 동물성 지방의 경우 고혈압 등의 성인병에는 피하는 것이 좋고 생선은 소화 흡수율이 육류보다 높을 뿐만 아니라 양질의 단백질을 함유하고 있으며 야채는 몸의 조직과 기능을 원활히 해 주는 비타민의 주요 공급원입니다.

오늘날 식생활 패턴이 다양해짐에 따라 맛을 그대로 즐길 수 있는 외국요리와 한국 전통 요리의 진수를 총망라하는 체계적인 요리책이 절실히 요구되고 있습니다.

이러한 시대 요청에 따라 이론과 실제를 겸비한 실용적인 "한국 요리"를 내 놓는 바입니다.

이 책이 여러 가정의 식생활 설계에 활용되어 건강이 보장되고 가정에 알찬 보람과 행복이 깃들이기를 바라마지 않습니다.

엮은이 임 상 호

◼ 한국요리 · 차례 ◼

한국 요리

11

13

14

평양 요리(북한 요리)

살림의 지혜

한국 요리

한국음식과 궁중음식은 아주 다른 것이 아니므로 떼어서 생각할 수는 없는 것이지만 특히 이름 지어 궁중음식이라 함은 5천년의 역사 속에 이어져 내려 온 우리 나라 고유의 음식이 궁중이라는 우리 나라 최상급의 장소에서 더욱 잘 다듬어지고 보완된 순수한 우리 음식이기 때문이다.

요사이에는 우리 식생활에도 외국의 간단한 인스턴트 식품이 많이 이용되고 있다. 그러나 우리 고유의 전통 음식의 조리법도 알아두어 최소한 명절 때만이라도 이러한 음식들을 만들어 가족들과 함께 즐기고, 또 그 만드는 법도 자손들에게 계승해 주어야 되겠다. 그럼에도 불구하고 근래 점점 외국풍에 젖어서 내가 가지고 있는 좋은 것도 무조건 버리는 풍조는 좋지 않은 사상이라고 본다. 옛날처럼 가정에서 잘 가르쳐 주지 못하면 아마 50년 후에는 전통있는 음식은 이름만 알고 만드는 법을 모르게 될 것 같다.

수 라

흰수라

■ **재 료**(2인분)

쌀 ·················· 5컵(7백 g)   물 ·························· 6.5컵

● **만드는 법**

① 쌀을 서너 번 씻어서 조리로 잘 일어 돌을 고른 다음 밥물을 정한다.

② 밥물은 보통 쌀 1에 대해서 물 1.2의 비율로 하나, 햅쌀인 경우에는 물의 분량을 이보다 적게 하고, 마른 쌀인 경우는 이보다 조금 물을 넉넉하게 잡는다.

③ 먼저 정해 놓은 밥물을 끓이고, 밥물이 막 끓을 때에 일어 놓은 쌀을 넣는다.

④ 다 끓으면 불을 약하게 하고 뜸을 들이는데, 이 시간은 약 20분에서 30분 사이이다.

○ **참 고**

궁중에서는 참숯을 피워 넣은 화로에 곱돌솥을 얹어 밥을 지었다고 하는데, 이 솥은 바닥이 두껍고 뚜껑이 무거워서 밥의 뜸이 잘 들여진다고 한다.

오곡수라

■ 재 료

쌀	5컵	팥	반 컵
수수	반 컵	찹쌀	1컵
콩	반 컵	소금	2큰술
차조	반 컵	밥물	7컵

● 만드는 법

① 우선 콩은 물에 불려 놓고 팥은 삶아 놓는다.

② 수수와 차조와 찹쌀은 깨끗이 씻어 조리로 일어 놓는다.

③ 쌀에다가 미리 불려 놓은 콩과 삶은 팥·수수· 찹쌀을 섞고 팥 삶은 물을 밥물로 해서 밥을 짓는다.

④ 밥이 끓기 시작하면 차조를 위에 얹고 뜸을 푹 들이고, 밥을 풀 때 같이 섞어서 푼다.

○ 참 고

오곡수라는 흰수라를 지을 때보다 물의 분량을 조금 적게 한다.

팥수라

■ 재 료

쌀 ······················· 5컵   물 ···························· 6.5컵

팥 ······················· 1컵

● 만드는 법

푸른 팥을 맷돌에 둘둘 타서 쌀과 함께 씻어서 조리로 일어 놓고 밥물을 먼저 끓이다가 쌀을 넣고 끓인다. 거진 다 끓은 다음에는 불을 약하게 하여 뜸을 들인다.

궁중에서 짓는 팥수라는 붉은 통팥을 삶아 건지고 이 팥 삶은 물로 밥물을 부어서 밥을 지어 놓으면 팥물이 곱게 들어 보기 좋다. 임금님 수라상에는 흰수라와 팥수라의 두 가지 수라를 함께 올렸다.

흰수라에는 곽탕(미역국), 팥수라에는 곰탕이 따라 오른다.

비빔밥

■ 재 료(5인분)

쌀 ············· 3컵	쇠고기 ············· 200g
오이 ············· 1개	생선 ············· 100g
숙주 ············· 200g	표고 ············· 조금
호박 ············· 반 개	튀각 ············· 조금

도라지 ·························· 100g 각종 양념 ························· 조금

● 만드는 법

① 밥은 고슬고슬하게 지어 놓고 쇠고기는 잘게 썰어 양념하여 볶는다.

② 호박은 채로 썰고, 오이는 반달 모양으로 썰어 소금에 슬쩍 절인다.

③ 표고는 체로 썰어 놓고 도라지는 삶아 놓는다.

④ 생선은 전유어를 붙인다.

⑤ 오이와 호박, 도라지와 표고는 각각 볶아놓는다.

⑥ ②부터 ④까지의 재료들을 밥에다 함께 비벼서 간을 맞추고 생선 전유어와 튀각은 위에다 모양있게 얹는다.

죽이나 미음·응이 같은 낮것(점심)이나 초조반(조반; 아침밥 전에 조금 먹는 음식), 간식으로 진선하는 것인데, 죽상에는 묽은 장·소금·청밀(꿀)을 종지에 담고, 국물이 있고 맵지 않은 김치와 젓국·조치·포 또는 암치를 한 상에 차린다. 죽이나 미음 그릇 외에 빈 그릇(공기)을 놓아 두면 덜어서 드는 데 좋다.

잣 죽

■ 재 료(5인분)

잣	2컵	소금	약간
쌀	2컵	설탕	약간
물	10컵		

● 만드는 법

① 쌀을 씻어 물에 불린 다음 곱게 갈아 겹체로 걸러 놓는다.

② 잣은 속껍질까지 말끔히 벗겨서 곱게 갈아 놓는다.

③ 물을 한바탕 끓인 후 준비된 잣과 쌀을 넣고 나무주걱으로 저어 가면서 끓인다.

④ 죽이 다 되면 소금으로 간을 맞춘다. 이때 소금 대신 구미에 따라 꿀이나 설탕을 조금 넣어도 된다.

흑임자죽(검은깨죽)

■ 재 료

검은깨	600g(5컵)	소금	죽의 1%
쌀	400g(2.5컵)	설탕	약간
물	쌀의 5배		

● 만드는 법

① 검은깨나 흰깨를 씻어 일어 가지고 실깨로 만든다. 그 방법은 절구에 넣고 껍질이 벗겨질 정도로 살짝살짝 삐쳐 찧어서 번철에 놓아 말린 다음 껍질을 키로 까불어 버리고 다시 타지 않을 정도로 볶는다. 고운 풀매에 갈아서 체에 받쳐 가라앉힌다.

② 쌀도 씻어 불려서 풀매에 곱게 갈아 체에 받쳐 가라앉힌다.

③ 깨물을 솥에 붓고 끓인 후에 깨앙금을 넣어 끓이다가 갈아 놓은 쌀을 조금씩 넣고 죽을 쑨다. 물의 분량은 풀매에 갈 때 주어지는 물이 뜻대로 안 되어 많아지기도 하고 되게 갈아지기도 하니 도중에 알맞게

물의 분량을 약 5배 가량으로 조절하면서 먹기 좋은 농도로 알맞게 쑤어야 한다.

④ 소금으로 간을 맞추기도 하고 나중에 식성에 따라서 설탕을 각각 넣어서 먹도록 해도 좋다.

⑤ 깨와 쌀을 같이 갈면 삭기 쉬우므로 따로 간다.

호도죽 · 낙화생죽

■ 재 료

쌀 ························ 2/3컵   물 ······························ 3컵

호도나 낙화생 ·················· 1컵   소금 ···························· 약간

● 만드는 법

① 호도나 낙화생은 물에 불려서 껍질을 벗기고 물을 타서 갈아 체에 걸러 놓는다.

② 쌀은 씻어 물에 불려 가지고 갈아서 체에 거른다.

③ 호도물을 솥에 넣고 끓이다가 중간에 갈아 놓은 쌀을 넣고 눋지 않게 잘 저으면서 끓인다.

④ 다 된 후에 소금으로 간을 맞춘다.

장국죽

■ 재 료(5인분)

쌀 ···························· 2컵   참기름 ····················· 2큰술

쇠고기	200g	표고	20g
물	10컵	고기양념장	1큰술
조선간장	1찻술		

● 만드는 법

① 고기는 곱게 다지고 표고는 채로 썰어 양념장에 재어 놓는다.

② 쌀은 씻어서 물에 불렸다가 반을 덜어 참기름을 넣고 풀매에 갈아 체로 거른다.

③ 남겨 놓은 쌀에 물을 붓고 쌀알이 퍼지도록 끓인다.

④ 쌀이 끓으면 양념장에 재어 놓은 고기를 납작납작하게 반내기를 시어 얹는다.

⑤ 고기가 다 익으면 갈아 놓은 쌀을 부어서 끓이고 조선 간장으로 간을 맞춘다.

타락죽

■ 재 료(5인분)

쌀	160g(1컵)	우유	4컵
물	1컵	소금 · 설탕	약간

● 만드는 법

① 쌀을 씻어 불려서 풀매에 곱게 갈아 솥에 붓고 끓이다가 우유를 넣고 눋지 않도록 저으며 끓인다. 중

탕으로 하면 더욱 좋다.

② 소금이나 설탕으로 간을 맞춘다.

팥 죽

■ **재 료**(5인분)

붉은팥	5컵	찹쌀가루	3컵
쌀	5컵	소금	조금
물	50컵		

● **만드는 법**

① 팥은 물을 많이 넣고 팥이 터질 정도로 푹 삶은 후, 주걱으로 팥을 으깨 가면서 체로 걸러 놓는데, 이때 물의 분량은 팥과 쌀을 합한 분량의 10배로 한다.

② 체에 남겨진 팥껍질은 쪽 짜서 버리고, 거른 팥은 가라앉히고 그 웃물을 따라 끓인다.

③ 물이 끓으면 쌀을 넣고 30분 이상, 쌀이 다 퍼지도록 끓인다.

④ 쌀이 푹 퍼지면 팥앙금을 넣고 나무 주걱으로 솥밑을 살살 긁는 것처럼 저으면서 쌀과 팥이 어우러지도록 끓인다.

⑤ 팥죽이 끓는 동안 준비한 찹쌀 가루를 끓는 물로 반죽해서 새알만큼씩 빚어 끓는 죽에 넣고 다시 한 번 끓이는데, 이 찹쌀로 빚은 것을 새알심 혹은 봉심이라

고 한다.

⑥ 죽을 쑬 때 솥뚜껑을 덮고 쑤면 죽이 넘거나 솥 밑에서 눈는 것을 모르는 일이 있으니 반드시 큰 나무 주걱으로 솥 밑을 살살 긁는 것처럼 저으면서 쑤어야 한다. 탄내가 나거나 솥 가장자리가 지저분하게 넘쳐 나지 말아야 한다.

콩 죽

■ 재 료(5인분)

콩	5컵	물	콩과 쌀의 5배
쌀	3컵	소금	약간

● 만드는 법

① 쌀은 씻어 일어 물에 불려 놓는다.

② 콩은 물에 불렸다가 살짝 삶아 건져 손으로 대껴 껍질을 벗긴 후 물을 부어 가며 곱게 간다.

③ 다 갈은 콩은 한참 가라앉혀서 윗물을 넣고 쌀을 끓인다.

④ 쌀이 다 퍼지면 가라앉은 콩을 넣고 주걱으로 저어 가며 끓인다.

⑤ 소금으로 간을 맞춘다.

홍합죽

■ 재 료

말린 홍합	10개	멥쌀	1컵
물	5~6컵	묽은 장	약간

● 만드는 법

① 쌀 한 컵을 물에 불려 건진다.

② 말린 홍합 10개를 물에 흠씬 불려서 손질한다. 이것을 간장 양념으로 무쳐서 쌀과 같이 솥에 붓고 물 5~6컵을 두세 번에 나누어 붓고 약한 불에 넘기지 말고 죽을 쑨다.

묽은 장으로 간을 심심하게 맞추어 합에 푼다. 먹을 때 모자라는 간은 진간장을 치면 더 맛이 있다.

미 음

미음은 죽보다 더 묽게 끓여 체에 받친 것으로 건강한 사람의 별식으로 하기도 하지만 대부분 환자용이나 식욕이 없는 사람에게 식욕을 돋구게 하는 음식이다.

삼합미음

■ 재 료(3인분)

말린 해삼	3개	찹쌀	반 컵
홍합	5개	조선간장	약간
쇠고기(우둔살)	200g		

● 만드는 법

① 해삼과 홍합은 물에 잘 불려 깨끗이 손질한다.

② 쇠고기는 네 덩어리로 썬다.

③ 손질한 홍합과 해삼, 쇠고기를 물 8컵을 붓고 약한 불로 끓인다.

④ 물이 2컵 정도 줄면 찹쌀 반 컵을 넣고 물이 4컵

정도 남을 때까지 끓인다.

⑤ 다 끓인 후에는 체에 받쳐서 그릇에 담고 조선간장으로 간을 맞춘다.

속미음(차조미음)

■ 재 료(5인분)

차조(혹은 찹쌀)	1컵	인삼	2뿌리
대추	20개	물	10컵
황률	20개	소금	약간

● 만드는 법

① 모든 재료들을 잘 씻어서 물을 붓고 40분쯤 푹 삶는다.

② 쌀이 퍼져 7컵쯤 되면 고운 체로 거르고 소금으로 간을 맞추어 마신다.

찹쌀과 차조는 반씩 섞어도 좋다.

조미음

■ 재 료

메조	1컵	설탕	조금
쌀	1컵	생강즙	조금
물	메조와 쌀의 9~10배	소금	조금

● 만드는 법

　조와 쌀을 씻어서 물을 넉넉히 붓고 끓여 체에 걸러서 소금으로 간을 맞춘다. 식기 전에 설탕과 생강즙을 타서 먹도록 한다.

응 이

갈분응이

■ 재　료(5인분)

갈분(녹말) ···················· 10g	오미자 국물 ····················· 반 컵
식홍 ···················· 조금	물 ···················· 반 컵

● 만드는 법

　① 갈분을 물 2~3배로 타서 풀어 놓는다.

　② 냄비에 오미자 국물이나 물에 식홍을 조금 타서 연분홍물을 만들어 놓는다.

　③ 물을 끓이다가 갈분 푼 것을 빨리 저으면서 멍울이 지지 않게 물에 섞어 끓인다.

　④ 먹을 때 소금이나 설탕을 넣는다.

율무응이

■ **재 료**(5인분)

율무 가루 .... 1큰술 설탕 1큰술
물 .... 반 컵

● **만드는 법**

① 율무는 껍질을 벗긴 다음 물에 불려 맷돌에 갈아 앙금을 앉힌다.

② 물에 설탕을 넣고 팔팔 끓을 때에 율무 앙금을 넣고 잘 저어 가며 끓인다.

③ 마실 때는 소금을 넣어 마신다.

녹말응이

■ **재 료**(5인분)

녹말가루 .... 1컵 설탕 .... 약간
오미자 국물(식홍) .... 약간 소금 .... 약간

● **만드는 법**

물에 설탕을 타서 끓이다가 녹말가루를 물에 타서 잘 저으면서 정도를 맞추어 서서히 넣으면서 끓인다. 소금으로 간을 맞춘다.

면

    면이나 만두·떡국 같은 것은 일상시의 식단에 오
르기보다는 교자상에서 진지 대신의 주식으로 드는
것인데 대체로 여름철에는 냉면, 겨울에는 온면 또는
만두나 떡국으로 한다.

온 면

■ 재 료(5인분)

메밀국수	5사리	육산적	80g

쇠고기(양지머리)	1근	완자	40g
계란	2개	양념·실고추	약간

● 만드는 법

① 쇠고기는 삶아서 위에 뜨는 기름을 걷고, 고기는 잘게 뜯어 양념한다.

② 국수를 삶아 건져 그릇에 담는다.

③ 그릇에 담은 국수에 쇠고기 삶은 국물을 펄펄 끓여 붓고, 쇠고기 양념한 것과 육산적·완자·삶은 달걀을 썰어 국수 위에 보기 좋게 얹은 다음 실고추를 약간 뿌린다.

비빔국수

■ 재 료(5인분)

		국수	5사리
		쇠고기	150g
		간장	4큰술
		파	조금
		마늘	조금
후춧가루	조금	미나리	50g
편육	150g	달걀	1개
생강	1/4톨	설탕	1큰술

● 만드는 법

① 쇠고기는 곱게 다져서 파·마늘·생강·설탕·간장·후춧가루를 조금씩 넣고 양념한 후 볶아 놓는다.

② 편육은 채썰어 놓는다.

③ 미나리는 다듬어 씻어 5cm 길이로 썰고 소금에 살짝 절였다가 꼭 짜서 기름에 볶는다.

④ 달걀은 흰자와 노른자를 각각 지단을 부쳐서 가늘게 채썬다.

⑤ 국수를 삶아 건져 그릇에 담고 위의 재료들을 그 위에 모양좋게 얹는다.

떡 국

■ 재 료(5인분)

흰떡	10가래	쇠고기	300g
간장	약간	파	약간
마늘	약간	후춧가루	약간
깨소금	약간	기름	약간
물	5컵	달걀	1개

● 만드는 법

① 떡은 엇비슷이 똑고르게 썰어 놓는다.

② 쇠고기는 가늘고 얇게 4cm 길이로 썰어 산적을 만들어 굽고 고기의 질긴 부분은 간을 맞추어 맑은 장국을 끓인다.

③ 달걀은 흰자·노른자를 각각 지단을 부쳐 골패쪽같이 썬다.

④ 펄펄 끓는 맑은 장국에다 떡을 넣고 떡이 떠오를 때까지 끓인다.

⑤ 떡국을 대접에 담고 준비해 놓은 산적과 지단을 위에 얹는다.

만 두

만두에는 밀만두 · 어만두 · 생치만두 · 메밀만두 · 준치만두 · 동아만두 · 편수 · 병시 · 규아상 등이 각 계절과 절식에 따라 상에 올랐는데, 여기서는 보편적 인 것으로 밀만두만을 소개하겠다.

밀만두

■ 재 료(5인분)

밀가루	1컵	물	1컵
쇠고기	500g	숙주	1컵
두부	1/4모	김치	썬 것 1컵
표고	2개	잣	1/4컵
양념들			

● 만드는 법

① 쇠고기는 반으로 나누어 반은 맑은 장국을 끓이 고 반은 잘게 다져서 양념하여 볶는다.

② 숙주는 데쳐 놓고 표고와 김치는 채썰어 두부와 고기 볶은 것과 함께 섞고 간을 맞춘다.

③ 끓는 물로 밀가루를 반죽하여 얇게 밀어 가지고 컵으로 눌러 떼어 만두껍질을 만든다.

④ 만두껍질에 준비해 둔 만두속을 넣고 실백을 세 알씩 넣어 반을 접고 만두를 빚는다.

⑤ 맑은 장국에 만두를 넣고 다 익으면 모양이 망가지지 않게 뜬다.

⑥ 만두는 먹기 직전에 그릇에 담고 끓는 장국을 붓는다.

⑦ 먹는 법은 공기에 만두를 한 개씩 덜어서 숟가락으로 만두 가운데를 끊어서 초장을 조금 넣어 먹는다.

조 치

조치는 쇠고기·생선·김치·깻잎·무·달걀 등의 재료를 썰어서 뚝배기에 담고 된장이나 고추장 또는 새우젓국으로 간을 맞추어 밥솥에 찌거나 중탕을 해서 다시 화롯불에 잠깐 동안 끓여서 밥상에 놓는 것이다.

절미 된장 조치

■ 재 료

된장 ···················· 150g   쇠고기 ···················· 150g

39

표고	2개	생강	약간
설탕	약간	참기름	약간
파	약간	마늘	약간

● 만드는 법

① 쇠고기는 다져서 생강 · 파 · 마늘로 양념한다.

② 표고는 씻어서 채썰어 다진 쇠고기와 함께 뚝배기에 담는다.

③ 된장은 체에 걸러 참기름과 설탕을 넣고, 여기에 양념한 쇠고기와 표고와 파를 넣고 밥솥에 쪄낸다. 이밖에도 김치 조치 · 무 조치 · 깻잎 조치 · 생선 감장 · 게 감장 · 오이 감장 등이 있다.

찜

찜은 국물이 자작하게 남도록 푹 무르게 하는 게 특징인데 주 재료가 식물성 식품인 경우는 선이라고 한다.

생선찜(도미 · 대구 · 민어)

생선찜은 생선을 토막으로 잘라서 번철에 지져서 쇠고기와 함께 냄비에 담고 갖은 고명을 넣고 끓이다

40

가 줄알을 치면 되는 것이지만 생선은 오래 끓이면 부서지기 쉬우므로 밀가루와 달걀을 씌워서 지진다. 그리고 생선찜을 할 때에는 술을 조금 뿌리면 독특한 비린 냄새가 없어진다.

■ 재 료

생선	500g	쇠고기	50g
표고	20g	석이	10g
미나리	100g	숙주	100g
쑥갓	200g	양파	50g
당근	50g	생강	10g
달걀	2개	녹말가루	2큰술
실고추	조금		

● 만드는 법

① 생선은 비늘을 긁고 내장을 꺼낸 다음 깨끗이 씻어 2cm 간격으로 칼집을 내어 저민다.

② 쇠고기는 다져 양념하여 생선살 저민 사이에 끼운다.

③ 생선에 소금과 후추를 뿌려 석쇠에 살짝 굽는다.

④ 미나리와 숙주는 데치고, 당근과 양파와 표고·석이는 굵은 채로 썰어 참기름에 살짝 볶는다.

⑤ 냄비에 위의 재료들을 깔고 생선을 놓고 색깔 고운 채소와 버섯을 모양있게 생선 위에 펴놓는다.

⑥ 맑은 장국을 넣고 끓이다가 쑥갓을 얹고 달걀과 녹말을 풀어서 생선에 끼얹어 내놓는다.

특히 기름지지 않고 국물을 맑게 하려면 생선을 기름에 지지지 말고 부스러지지 않게 앉혀서 끓이면 맛이 담백하다.

선

42

두부선

■ 재 료(5인분)

두부	4모	닭고기	200g
달걀	1개	소금	3찻술
파	조금	마늘	조금
후춧가루	조금	깨소금	조금
석이	조금	표고	조금
당근	50g	참기름	2큰술
실고추	조금	실백	조금

● 만드는 법

① 두부는 물기 없이 짜서 체에 거른다.

② 닭고기는 잘게 다져 두부와 달걀을 고루 섞어 간을 맞추고 양념을 넣는다.

③ 체바닥에 기름을 바른 창호지를 깔고 양념한 닭고기와 두부를 2cm 두께로 고루 펴담고 그 위에 표고·석이·당근·달걀 지단을 채썰어 뿌리고 실고추와 실백도 위에 얹어서 솥에 넣고 찐다.

④ 쪄낸 것이 식은 후에 3~4cm 사각으로 썰어 접시에 보기좋게 담는다.

⑤ 상에 놓을 때는 초장과 겨자초를 곁들여 내놓는다.

43

신선로

신선로 그릇은 중국 요리의 화과자(火鍋子)와 구조가 매우 비슷한데 중국식 화과자는 크기가 우리 신선로보다 크고 따라서 재료도 큼직하게 썰어서 날것과 거의 양념에 무치지 않은 재료를 담는 데 반하여 우리 요리는 거의 다 전유어나 지단을 부쳐서 담는다.

■ 재 료(4인분 · 2틀)

두부	반 모
표고	30g
석이	15g
호도 깐 것	1/3컵
은행	1/2컵

잣	1/4컵	쇠고기(대접살)	200g
사태고기	50g	양	80g
간	80g	등골	100g
민어(전복 · 해삼 · 대구)	100g		
달걀	6개		

(알지단 2개, 전유어용 2개 · 지단 2개)

무	1/3개	당근	1/2개
미나리	1단	양념들	약간씩

● 만드는 법

① 먼저 육수를 마련하는데, 육수는 사태고기 또는 양지머리를 삶은 물에 조선간장과 후춧가루로 간을 맞춘다.

② 위의 재료 중에서 고기류는 양념하여 익히고 야채는 얄팍하게 사각으로 썰어 놓고 달걀은 지단을 부쳐서 얌전하게 신선로 그릇에 돌려 담는다.

③ 웃고명으로 호도 · 은행 · 잣을 얹고 준비한 육수를 붓고 끓인다.

전유어

전유어는 한자로 전유화(煎油花)라 쓰고 궁중에서는 전유어라 했다. 흔히 저냐라고 한다.

전유어는 육류와 어패류 또는 소의 내장(간 · 양 · 처녑) 등으로 만드는데, 우선 전유어로 할 재료를 얇게 떠서 소금을 뿌려 놓았다가 밀가루와 달걀을 씌운다. 밀가루와 달걀을 씌우는 대신에 녹말을 씌워 부쳐서 흰색 전유어를 만들 수도 있다.

간 전유어

■ 재 료(5인분)

쇠간	300g	소금	약간

후춧가루	약간	메밀가루	5큰술
달걀	2개	기름	3큰술
겨자	약간	초장	약간

● 만드는 법

① 간은 엷은 막을 벗기고 얇게 떠서 소금으로 주물러 빨아 피를 뺀 후 채반에 널어 물기를 뺀다.

② 간에서 물기가 빠진 후 소금·후춧가루를 뿌리고 메밀가루를 묻혀 놓는다.

③ 메밀가루를 묻힌 간에 계란을 씌워 가지고 프라이팬에 기름을 두르고 지져낸다.

생선 전유어

■ 재 료(5인분)

생선(민어·대구·명태·도미)	300g	후춧가루	약간
소금	약간	밀가루	3큰술
달걀	3개	지짐 기름	4큰술

● 만드는 법

① 생선은 비늘을 긁고 내장을 빼내 깨끗이 씻는다.

② 칼로 생선의 등을 갈라 반으로 쪼개어 뼈를 얇게 떠서 소금·후춧가루를 뿌린다.

③ 얇게 썬 생선 조각을 하나씩 밀가루에 묻히고 달

걀 푼 물에 담갔다가 프라이팬에 기름을 두르고 지진
다.

○ 참 고
달걀을 풀 때는 달걀을 깨뜨려 잘 저어 가지고 소금
을 넣는다. 처음부터 소금을 넣으면 덩어리가 지고 잘
풀리지 않는다.

풋고추 전유어

■ 재 료
풋고추	100g	쇠고기	200g
달걀	3개	밀가루	약간
양념(간장·후춧가루·깨소금·		지짐기름	약간
참기름·설탕·파·마늘)	약간		

● 만드는 법
① 풋고추는 반으로 갈라 씨를 빼낸다.
② 쇠고기는 잘게 다져 갖은 양념을 한다.
③ 양념한 쇠고기를 씨를 빼낸 풋고추 속에 넣고 밀
가루와 달걀을 씌워 프라이팬에 지져낸다.
이때 속을 넣은 쪽에만 밀가루와 달걀을 묻히면 한
쪽은 푸른 고추의 색이 그대로 나타나 훨씬 먹음직스
러워 보인다.

편 육

편육은 고기에 물만 붓고 삶아서 얇게 저며 초장이
나 겨자에 찍어 먹는 것인데, 양지머리로 만드는 것이
제일 좋고 그밖에 우설(牛舌)·우낭(牛囊)·콩팥·쇠
머리·돼지머리로도 만들 수 있다.

우설 편육

■ 재 료

우설(우낭·콩팥)

초장(간장·식초·파·잣가루)

48

겨자(겨자는 물과 식초·소금으로 갠다)

● 만드는 법
① 우설이나 우낭·콩팥 같은 것을 깨끗이 씻어 물을 넉넉히 붓고 삶아 편육으로 사용한다.
② 우설은 가운데를 반으로 갈라서 썰고 콩팥은 그대로 둥근 모양으로 썰어서 담는다.

양지머리 편육

■ 재 료
쇠고기(양지머리)
초장(간장·식초·파·잣가루)
겨자(겨자는 물과 소금·식초를 넣고 갠다)

● 만드는 법
① 쇠고기를 찬물에 씻어 물을 넉넉히 넣고 삶는다.
② 충분히 삶아졌을 때 건져서 깨끗한 베보자기로 싸서 무거운 것으로 눌러 놓는다.
③ 고기의 결과 반대쪽으로 얇게 저며서 초장이나 겨자와 함께 상에 놓는다.

제육 편육

■ 재 료
돼지고기(삼겹살) · 곱창

● 만드는 법
① 돼지고기를 푹 삶아 식기 전에 베보자기에 싸서 무거운 것으로 눌러 놓는다.

② 눌러서 단단하게 된 고기를 얇게 썰어 접시에 담는다.

③ 돼지곱창을 삶아 제육 위에 얹는다.

이때 초장이나 새우젓을 곁들인다.

돼지머리 편육

■ 재 료

돼지머리	1개
마늘	1통 반
달걀	4개
생강	8톨

● 만드는 법

① 돼지머리를 반으로 쪼개어 물에 잠기도록 물을 붓고 생강과 마늘 5쪽을 통째로 넣어 젓가락으로 눌러 뼈가 빠질 때까지 푹 삶는다.

② 쟁반에 베보자기를 펴고 삶은 돼지머리를 놓고 뼈를 추려낸 후 나머지 생강과 마늘로 곱게 다져 돼지머리에 뿌리고 후춧가루와 소금으로 간을 맞추고 달걀은 삶아서 으깨 뿌린다.

③ 베보자기에 양념한 돼지머리를 단단히 싸서 돼지머리 삶은 국물로 다시 30분 이상 끓인다.

④ 삶은 것을 건져내 도마를 대고 누르면서 적당한 크기로 얇게 저민다.

여러 가지 국

국은 장국(맑은 장국)과 토장국의 두 가지로 나눈다.

장국은 대개 간이 슴슴하고 맛이 산뜻하고 따뜻한 것이 원칙이나 특별히 냉국도 있다. 먹기에 적당한 온도는 섭씨 70도 정도이며 간은 간장과 소금으로 한다.

토장국은 된장·고추장으로 간을 하여 맛이 구수하고 걸직하게 하는 것이 원칙이다. 된장 분량의 표준은 다음과 같다.

된장 14g 중에 염분이 1g쯤 함유되어 있으므로 된장국을 끓이려면 물의 8% 정도의 된장을 넣어야 한다.

국은 국물이 목적이므로 수조육의 뼈 등을 처음부터 찬물에 담가서 수용성인 성분을 충분히 나오게 한 다음 중불로 끓인다. 한소끔 끓어 오르면 위에 뜬 거품을 떠버리고 불을 아주 약하게 해서 뭉근히 오래 끓여서 국물이 구수하고도 맛있게 한다.

멸치국물

■ 재 료

멸치

● 만드는 법

① 멸치는 내장을 빼고 깨끗이 씻는다.

② 물 10컵에 멸치 200g 정도의 비율로 멸치를 넣고 불은 중불로 하여 끓인다.

③ 멸치국물을 낼 때는 국물이 끓어 오르면 반드시 냄비 뚜껑을 열어 놓아야 멸치 비린내가 나지 않는다.

이 멸치국물은 사계절을 통하여 어느 계절이고 다 이용된다.

쇠고기국물(肉水)

■ 재 료

쇠고기(주로 도가니살 · 사태 · 홍두깨살 · 치마살 · 업진 · 채끝살)

무(양파)

● 만드는 법

① 물과 쇠고기의 분량은 물 10컵에 쇠고기 600g으로 한다.

② 살코기와 무를 큼직하게 썰어 넣고 찬물에서부

터 끓인 다음 거품을 걷고 또 한 번 푹 끓인다.

③ 국물이 우러난 건더기는 적당히 찢어 양념을 해서 국건더기로도 쓴다. 때로는 편육으로도 이용한다.

이 육수는 어느 계절이라고 지정할 것 없이 사계절을 통해서 다 이용된다.

뼈국물

■ 재 료
소뼈(쇠머리 · 족 · 사골 · 도가니뼈 · 등뼈 · 쇠꼬리 · 엉덩이뼈)
무(양파)

● 만드는 법
① 뼈는 길이 4~5cm 정도로 자른다. 쇠머리인 경우에는 통째로 한다.

② 물과 뼈의 비례는 물 20컵에 뼈 2kg, 사태고기 300g, 무는 작은 것 1개, 양파는 큰 것 2개 정도를 넣는다.

③ 무 · 양파는 통째로 넣고 자른 뼈를 넣어 중간불로 은근하게 오래 끓여 푹 무르도록 한다.

④ 한바탕 끓은 뒤에 위에 뜬 거품을 거둬내고 뼈국물이 우러나도록 다시 한 번 끓인다. 끓여낸 뼈는 세 번째까지 끓여도 국물이 뽀얗고 구수하다. 이 뼈국물은 기름기가 적당히 있어 맛이 부드럽고 구수한 것이

특징이다.

이 국물은 가을철과 겨울철 채소국에 많이 쓰인다.

조개국물

■ 재 료

조개(대합조개·모시조개·
바지락조개·고막·재치
·맛살 등)
속뜨물

● 만드는 법

① 조개는 끓이기 전에 맹물에 한 시간 정도 담가서 흙물을 다 토해 내게 하고 해감내를 뺀다.

② 담가 놓은 조개를 깨끗이 씻어서 받아 놓은 속뜨물에 넣고 약 20분쯤 끓인다.

③ 조개는 물 10컵에 2컵 정도 넣으면 알맞다.

④ 조개껍질이 벌어지면 다 익은 것이니 국물을 걸러서 이용해도 좋다.

이 조개국은 봄·가을의 채소국에 많이 쓰이며 특히 봄 산나물국에는 잘 어울려 봄맛을 풍긴다.

토장국을 끓일 때에는 위의 멸치국물·쇠고기국물·뼈국물·조개국물 중 어느 것을 이용하든 각종 국물에 된장을 걸러 부으면 토장국이 되고 식성에 따라

고추장을 풀어 얼큰하게 하기도 한다.

산나물국(봄국)

봄에는 기름기가 없고 아주 산뜻하고도 시원한 국
이어야 한다. 입맛이 없고 무언가 새롭고 산뜻한 음식
이라야 구미가 당기기 때문이다. 그러므로 국물로는
대부분 조개국이 많이 쓰이고 있다.

봄의 된장국에는 산나물·들나물·밭나물이 주가
된다.

나물의 종류에는 소루쟁이·제비꽃·홋닢·햇고사
리·원추리·산나물·냉이·쑥 등이 있고, 채소에는
아욱·근대·시금치·솜음배추·쑥갓 등이 있다.

생선에는 오징어·뱅어·관자·조기·꽁치 등이 있
는데, 이것은 국보다도 얼큰하게 지짐이를 하면 좋다.

■ 재 료

산나물(솜음배추)	500g	고막즙	6컵
된장	3큰술	굵은파	4뿌리
마늘	2쪽	참기름	1큰술

● 만드는 법
① 어리고 연한 산나물을 깨끗이 다듬어 씻은 다음
살짝 데친다.

② 고막조개 국물에 된장을 걸러 붓는다.

③ 걸러 부은 된장에다 데친 산나물과 굵게 채친 파와 마늘을 다져서 넣고 푹 끓인다.

④ 참기름은 그릇에 담기 직전에 넣고, 2분간 끓여 상에 낸다.

식성에 따라 고추장 1큰술쯤을 넣어도 좋다. 또 산나물 대신 솎음배추를 넣고 끓여도 좋다.

민어국(여름)

여름에는 채소·생선이 많이 나와서 국거리가 많은 듯하나 실은 지짐이·찌개를 많이 해먹고, 국은 냉국으로 해서 먹는다. 여름 지짐이에는 생선국을 많이 이용한다.

생선에는 바다 것으로 도미·삼치·민어·고등어·꽁치·숭어 등이 많이 나온다.

낚시질해서 많이 잡히는 강물고기나 개울생선으로는 미꾸라지·피라미·모래무지·가물치·날치·붕어·단지·뱀장어 등이 있다.

채소로는 호박·감자·양배추·양파·풋고추·배추 우거지·열무 우거지·오이·가지 등이 많이 나온다.

■ 재 료

민어	1마리	쇠고기	150g
호박	1개	된장	1큰술
고추장	2큰술	속뜨물	6컵
마늘	2쪽	파	50g
생강	약간		

● 만드는 법

① 쇠고기는 잘게 썰어 양념해서 볶는다.

② 뜨물에 된장과 고추장을 거르고 양념해서 볶은 쇠고기를 넣고 끓인다.

③ 호박은 한 입에 들어갈 만한 크기로 어슷어슷 저미고, 파는 굵게 채치고, 생강과 마늘은 다져 놓는다.

④ 민어는 비늘을 긁고 뼈 중심으로 반으로 갈라 5cm 정도로 토막낸다.

⑤ 토장국이 두 번 끓으면 민어와 파 · 마늘 · 생강 · 호박을 넣고 민어가 푹 익도록 끓인다.

⑥ 다 익을 무렵에 파의 푸른잎을 넣고 다시 1~2분 정도 끓인 후 그릇에 담아 낸다.

추탕(가을)

가을에는 날씨가 점점 선선해지므로 국물은 대개 기름기가 있고 구수한 뼈국물 · 육수를 쓴다.

가을철에 나는 채소로는 토란·배추·무·애호박·
숙음배추·버섯 종류(싸리버섯·참나무버섯·송이버
섯·느타리버섯 등)가 많이 나와 주재료가 된다.
생선으로는 낙지·게·대구·병어·숭어·넙치·
서대기 등이 있으며 민물고기도 많이 나온다.

■ 재 료(5인분)

미꾸라지		400g
쇠고기		200g
숙주나물		30g
고비		25g
배추		30g
파	30g	
된장	2큰술	
묽은장	6큰술	
고추장		3큰술
물		6컵
후춧가루		1찻술

● 만드는 법
① 미꾸라지는 산 채로 소쿠리에 담아서 소금물에
여러 번 헹구어 해감을 뱉게 한다.
② 숙주·고비·파를 다듬어 5cm 정도로 자른다.
③ 쇠고기나 닭고기를 고아서 건지고 그 국물에 미
꾸라지를 넣어 맛이 우러나도록 푹 고아낸다.
④ 충분히 고아지면 미꾸라지를 소쿠리에 건져 나
무 주걱으로 살살 부대껴 걸러 살은 빼고 뼈와 껍질은

버린다.

⑤ 국에 된장·고추장을 풀고 생강을 다져 넣는다.

⑥ 국물을 낸 닭고기나 쇠고기를 먹기 좋게 썰어 준비한 숙주·고비·파와 같이 섞어 양념해 무친다.

⑦ 위의 것들을 모두 넣고 다시 한 번 끓인다.

김치 지짐이(겨울)

겨울철에는 날씨가 매우 추우므로 열량이 많은 것을 이용해야 한다. 국물에는 기름기가 많은 곰탕국물 또는 뼈국물·육수를 많이 쓰게 된다. 때로는 돼지고기도 많이 쓰게 된다.

겨울철에는 채소가 온실 채소 아니면 저장 채소이므로 구하기가 어렵다. 채소에는 배추·무·콩나물이 주재료가 되고 여기에 호박 오가리·가지 오가리·시래기가 이용되며, 시금치·미나리도 약간은 쓰인다. 김치도 많이 이용된다.

겨울철의 생선에는 명태·대구·청어·오징어·문어·연어·은어·방어 등이 제철이다.

■ 재 료

겨울배추김치	500g	돼지고기	300g
파	2뿌리	참기름	2큰술
된장	2큰술	고추장	2큰술

뜨물

● 만드는 법

① 돼지고기는 잘게 썰어 파·마늘로 양념한다.

② 김치를 물에 대강 씻어 잘게 썬다.

③ 된장과 참기름을 돼지고기·김치와 같이 섞어 간이 충분히 배도록 볶는다.

④ 웬만큼 볶아지면 준비한 뜨물을 붓고 끓여 푹 무른 뒤에 먹도록 한다.

탕

곰 탕

■ 재 료

사태	600g	양	600g
곱창	600g	무	300g
통마늘	1통	생강	1쪽
대파	3대	소금	조금
후춧가루	조금		

● 만드는 법

① 양은 밀가루로 박박 문질러 씻어 끓는 물에 데친 후 껍질을 벗기고 깨끗이 손질한다.

② 곱창은 옆부분의 기름기를 어느 정도 잘라낸 다음 반을 갈라서 소금으로 주물러 씻어서 냉수에 여러 번 헹군다.

③ 사태는 물에 잠시 담가 핏물을 뺀다.

④ 무는 큼직하게 토막낸다.

⑤ 물 50컵, 양, 사태, 곱창, 무, 마늘, 파, 생강을 넣고 푹 끓인다. 끓는 도중에 거품을 걷어낸다.

⑥ 푹 익으면 고기를 꺼내어 먹기 좋은 크기로 썰어 국물에 넣고 다시 끓여 한 그릇씩 떠 먹는다.

○ 조리 포인트

양지머리와 사태는 맛있는 국물을 내기에 적당한

62

부위이다. 양지머리는 앞다리 쪽의 부위로 운동량이 많아 힘줄이나 막이 많지만 핵산, 아미노산 성분이 많아 고기 전체가 단단한 편. 결합조직 속의 콜라겐은 가열하면 젤라틴이 되고 연해져서 먹기 좋으므로 사태 역시 푹 익히면 요리, 육수를 내는 데 좋다.

육개장

■ 재 료

양지머리	600g
양	300g
대파	4대
마늘	1통
생강	1/2쪽
참기름	1큰술

고춧가루	2큰술
물	30컵

● 만드는 법

① 양은 밀기루로 문질러 씻은 후 뜨거운 물에 담갔다가 건져 검은 표피를 벗기고 안쪽의 기름과 막을 제거한다.

② 곱창은 기름을 떼어내고 반으로 갈라 소금으로 문질러 씻는다.

③ 양지머리는 냉수에 담가 핏물을 뺀다.

④ 냄비에 손질한 양, 곱창, 양지머리를 담고 파, 마늘, 생강을 넣고 푹 끓인다.

⑤ 나머지 대파는 10cm 정도로 썰어 주물러서 어느 정도 으깨어지면 살짝 데친다.

⑥ 고춧가루와 참기름을 섞어 고추기름을 만든다.

⑦ ①의 고기가 익으면 건져서 굵직하게 썰어 고기 양념으로 무쳐 다시 냄비에 담고 파와 고추기름을 넣어서 끓여낸다.

○ 조리 포인트

곱창은 옆에 붙어 있는 굳기름을 떼어내고, 소금을 뿌려 바락바락 주무르며 씻는다. 찬물에 여러 번 훑어 내리면서 헹궈 준다.

양은 밀가루 · 소금을 뿌려서 박박 문질러 씻은 뒤, 끓는 물에 데친다. 데쳐 낸 양의 검은 껍질과 기름기를 칼이나 숟가락, 전복 껍질 등으로 깨끗하게 벗겨 낸다.

설렁탕

■ 재 료

쇠고기(사태 · 유통살)	300g
양	300g
뼈도가니	1개
파	1뿌리

물 ························· 12컵   갖은 양념

● 만드는 법

① 사태·도가니·양 등의 탕거리를 한데 넣고 오래도록 고아 국물을 우려낸다.

② 충분히 고아지면 고기를 건져내 썰어 양념하여 다시 넣는다.

③ 식사할 때에 파·소금·후춧가루로 각자가 간을 맞추어 먹는다.

연배추탕

■ 재 료(5인분)

연배추 ····················· 2단	쇠고기 ····················· 100g
모시조개 ·················· 150g	토장·고추장 ············ 약간
양념(간장·후춧가루·깨소금) ·· 약간	참기름·마늘 ············· 약간
파 ························· 약간	물 ······················· 6.5컵

● 만드는 법

① 배추는 다듬어서 살짝 데친다.

② 쇠고기는 잘게 썰어 양념에 잰다.

③ 속쌀뜨물에 토장과 고추장을 풀어 체로 걸러 쇠고기 잰 것과 함께 고기장국을 끓인다.

④ 모시조개는 소금물로 여러 번 씻어 삶아서 알맹

이를 까서 끓는 국에 넣고 삶은 배추와 파를 듬성듬성
썰어 넣고 끓인다.

감자탕

■ 재 료

감자	3개	돼지갈비	600g
양파	2개	쑥갓	조금
대파	1대	붉은고추	1개

풋고추 1개	고춧가루 2큰술
식용유 1큰술	마늘 다진 것 .... 약간
생강 .... 약간	소금 .... 약간
후춧가루 .... 약간	물 .... 약간

● 만드는 법

① 감자는 큼직하게 썬다. 양파는 작은 것으로 통으로 넣고 큰 것은 큼직하게 썬다. 대파·붉은 고추·풋고추는 어슷 썬다.

② 돼지갈비는 4~5cm 크기로 잘라 기름기를 떼어낸 뒤 냉수에 담갔다 건진다.

③ 냄비에 기름을 두르고 돼지갈비를 넣고 볶는다. 겉면이 익으면 생강·마늘과 고춧가루를 넣고 다시 볶아서 물을 붓고 끓인다.

④ 감자와 양파를 넣고 끓여서 고기가 익으면 붉은 고추 · 풋고추를 넣고 소금 · 후추로 간을 한다. 대파를 넣고 불을 끈다.

○ 조리 포인트

감자에는 전분이 많이 들어 있어 쉽게 무르므로, 오래 끓이면 감자가 풀어져 국물이 걸쭉하게 된다. 따라서 뼈를 푹 고아 국물맛을 충분히 우린 후에 감자를 넣도록 한다. 손질할 때 껍질 벗긴 감자를 15~20분 정도 미리 물에 담가 두었다가 이용하는 것도 감자가 풀어지지 않게 하는 한 방법이다.

조기 맑은 탕

■ 재 료

조기	1마리	물	8컵
청장	50g	쑥갓	50g
실파	30g	쇠고기	100g
다진 마늘	1작은술	생강즙	1작은술
소금	조금	식용유	조금

● 만드는 법

① 조기는 비늘을 잘 긁어서 머리를 잘라내고 내장을 꺼낸 다음 깨끗이 씻어 3cm 정도로 토막을 낸다. 소금을 조금 뿌려 두면 간이 배어 맛있다.

② 쇠고기는 얇게 저며 썰어 양념을 넣고 고루 무친다.

③ 실파는 깨끗이 다듬어 씻어 4cm 길이로 썰고 쑥갓은 짧게 자른다.

④ 냄비에 기름을 두르고 밑간해 둔 고기를 볶다가 분량의 물을 붓고 팔팔 끓인다.

⑤ ④에 토막낸 조기와 다진 마늘, 생강즙을 넣고 조기가 익으면 쑥갓과 실파를 넣는다.

○ 조리 포인트

조기찌개를 끓일 때는 너무 오래 끓이거나 미리 끓여 두면 맛이 덜하다. 재료를 준비해 놓았다가 먹기 직전에 끓여야 제맛이 난다. 특히 생선은 지나치게 익히면 살이 단단해지므로 한 차례 국물이 끓은 다음 넣어 재빨리 익힌다. 생선을 끓이다 보면 생선에서 나온 분비물 등이 거품 형태로 위에 뜨는데 이를 숟가락으로 떠내야 깔끔한 국물을 즐길 수 있다.

전 골

해물전골

■ 재 료

새우	4마리	갑오징어	1마리
모시조개	6개	양파	100g
붉은고추	2개	풋고추	2개

팽이버섯 ·························· 50g   쑥갓 ····························· 3줄기
대파 ······························· 30g

◆다데기장

고춧가루 · 다진 파 · 다진 마늘 · 육수 · 간장 · 소금

● 만드는 법

① 새우는 내장을 뺀 후 소금물에 씻어 준비한다.

② 갑오징어는 손질하여 안쪽에 가로 · 세로로 칼집
을 깊게 넣은 후 먹기 좋게 자른다.

③ 모시조개는 소금물에 담가 해감을 뺀다.

④ 양파는 채 썰고 대파 · 풋고추 · 붉은고추는 어슷
하게 썰어 씨를 뺀다.

⑤ 팽이버섯 · 쑥갓도 다듬어 준비한다.

⑥ 다데기장을 만든다.

⑦ 전자레인지용 냄비에 준비한 재료 등을 보기좋
게 담아 물을 부어 랩을 씌운 후 강한 온도에서 5분
정도 익힌다.

⑧ ⑦에다 양념 다데기를 풀어 부어 다시 랩을 씌운
후 강한 온도에서 3분 더 끓이다 꺼내어 간 맞춰 놓는
다.

○ 조리 포인트

정성들여 조개 요리를 해 놓고서도 모래가 씹혀 먹
지 못하게 되는 경우가 많으므로 모래와 해감을 토하

게 한 다음에 요리를 하는 것이 중요하다.

먼저 조개를 잘 씻어 넓적한 그릇에 겹치지 않게 늘어놓은 다음 약 3%의 소금물을 부은 후 신문지로 싸서 반 나절 정도 두면 해감을 토해 낸다.

두부 고기 전골

■ 재 료

두부	1모	쇠고기	150g
실파	50g	표고버섯	6장
붉은고추	3개	무	5cm 1토막
다진 마늘	2큰술	다진 파	1큰술
깨소금	1작은술	참기름	약간

국간장	약간	후춧가루	약간
소금	약간	육수	적당히
식용유	약간		

● 만드는 법

① 두부는 1cm 두께의 삼각형으로 썬다. 소금을 약간 뿌린 뒤 간이 배면 마른 행주로 눌러 물기를 없앤다.

② 프라이팬에 식용유를 두르고 뜨거워지면 두부를 노릇노릇하게 지져낸다. 한쪽 면에 칼집을 넣는다.

③ 쇠고기는 곱게 다져서 국간장·깨소금·마늘·파·참기름·후춧가루를 넣고 고루 치대어 양념을 한다.

④ 두부의 칼집 사이에 밀가루를 묻히고 양념한 고기를 넣어 꼭꼭 눌러 놓는다.

⑤ 무는 나박썰기한다.

⑥ 표고버섯은 충분히 불려 밑둥을 자르고 중앙에 칼집을 넣어 모양을 낸다.

⑦ 붉은고추는 반으로 갈라서 씨를 뺀 다음 굵게 채 썬다. 실파도 같은 길이로 썬다.

⑧ 전골냄비에 무·파·마늘을 섞어 담고 나머지 재료를 위에 색스럽게 담는다. 간을 맞춘 육수를 붓고 전골을 끓인다.

73

○ 조리 포인트

전골이나 찌개의 깊은 맛은 진국이 충분히 우러난 육수에서 나온다. 일반적으로 고기 삶은 물을 이용하는데 때에 따라 멸치·마른 새우·다시마 등으로 국물을 우려내기도 한다.

라면 전골

■ 재 료

라면	1봉지	당근	1/2개
표고버섯	4개	양파	1/2개
붉은고추	2개	풋고추	2개
쇠고기	60g	육수	2컵

달걀 1개	소금 .... 약간
간장 1큰술	

◆쇠고기 양념

파 .... 적당히	마늘 .... 적당히
깨소금 .... 적당히	후춧가루 .... 적당히
간장 1큰술	설탕 1작은술
참기름 .... 적당히	

● 만드는 법

① 표고버섯은 불렸다가 밑둥을 떼고 길쭉하게 채
썬다.

② 당근·풋고추·양파도 길쭉하게 채썬다.

③ 쇠고기는 채썰어 양념을 넣고 고루 무친다.

④ 라면은 살짝 삶아 찬물에 헹구어 체에 건진다.

⑤ 냄비에 준비한 야채를 색색으로 돌려 담는다.

⑥ 소금과 간장으로 간을 맞춘 육수를 부어 끓인다.

⑦ 한소끔 끓이면 삶은 라면을 얹고 달걀을 얹는다.

○ 조리 포인트

양파를 썰 때 눈이 맵고 눈물이 나와 고생하는 경우
가 많다. 이럴 때 눈물을 흘리지 않고 양파를 썰 수 있
는 방법을 활용하면 쉽게 조리할 수 있다. 우선 칼은
잘 드는 것으로 사용하고, 가끔 칼을 물에 적셔 주면
서 다지면 상당한 효과를 얻을 수 있다. 또 냉장고에

넣어 양파를 충분히 차게 한 후 썰거나 다지면 눈이 아프지 않다. 양파 껍질을 벗길 때는 물 속에서 벗기면 역시 눈이 아리지 않다. 이러한 방법들은 양파 속의 눈물을 나오게 하는 성분이 물에 잘 녹는다는 성질을 이용한 것이다.

내장 전골

■ 재 료

양지머리	200g	곱창	200g
양	100g	당근	1/4개
양파	1개	호박	50g
표고버섯	5장	쑥갓	1/2단

76

국수 ·········· 200g

● 만드는 법

① 곱창은 주변에 붙은 기름기를 적당히 잘라 내고 소금으로 문질러 깨끗이 씻는다.

② 양은 뜨거운 물에 데쳐 껍질을 벗겨 깨끗이 씻는다.

③ 양지머리와 곱창·양을 냄비에 담고 물 8컵을 부어 은근히 끓여서 고기가 익으면 건져서 납작하게 썰어서 양념장에 버무린다.

④ 양파·당근·표고버섯·호박은 납작납작하게 썰고 우동국수는 삶아서 건진다.

⑤ 전골냄비에 양념한 고기와 야채를 담고 ③의 육수를 부어 끓인다.

○ 조리 포인트

소의 내장 중에서 우리가 흔히 먹는 것은 양(위), 곱창(소장), 그리고 간·콩팥·염통 등이다.

양이나 곱창은 양념구이 또는 곱창전골, 내장전골로 많이 해먹는다. 한편 이들 간이나 염통·콩팥은 비타민이 매우 풍부한 식품으로 간에는 비타민 A가 많으며 구이를 해먹는 염통은 비타민 B_1, B_2가 많고 콩팥에는 무엇보다도 철분이 풍부하다.

쇠고기 야채 전골

■ 재 료

쇠고기(등심)	300g	양배춧잎	3장
양파	1개	당근	1/2개
생표고버섯	5장	쑥갓	1/2단
대파	1대		

◆국물

다시마	10cm	말린 다랑어	조금
조미료술	2큰술	물	2컵
소금	조금		

◆양념장

진간장	1/2컵	조미료술	1/2컵

설탕 ································· 2큰술

● 만드는 법

① 먼저 국물을 만든다. 냄비에 물 2컵을 붓고 다시
마를 넣어 끓이다가 말린 다랑어를 넣고 불을 끈채 뚜
껑을 덮어 잠시 기다린다.

② 다랑어가 가라앉으면 어레미에 받쳐 조미료술과
소금을 넣어 간을 한다.

③ 쇠고기는 한입 크기로 잘라 프라이팬에 살짝 볶
는다.

④ 양배추는 1cm 너비로 채치고 양파·당근도 보
기 좋게 썬다.

⑤ 생표고는 기둥을 떼고 씻어서 갓 중심에 열십자
로 칼집을 낸다.

⑥ 파는 다듬어서 어슷하게 썬다.

⑦ 냄비에 ②의 다랑어 국물을 붓고 끓으면 쇠고기
와 준비한 양파·양배추·당근·파·버섯 등을 넣는
다. 다 익으면 건져서 양념장에 찍어 먹는다.

○ 조리 포인트

냄비에 기름을 두르고 쇠고기를 볶다가 야채를 넣
고 국물을 부어 끓여도 별미. 양념장은 식성에 따라
겨자장으로 대신해도 된다. 또는 달걀 노른자에 참기
름과 소금을 조금씩 넣고 익은 고기와 야채를 건져 찍

어 먹어도 맛있다.

대구지리

■ 재 료

대구	1마리	배추	6잎
무	1/3개	당근	1/2개
표고버섯	3장	미나리	1/2단
쑥갓	1/2단	대파	1대

◆국물

다시마	20cm	조미료술	1/2컵

◆양념장

진간장	1/2컵	레몬즙	1/2컵

무 갈은 것 ················ 조금   생강 갈은 것 ················ 조금
파 다진 것 ················ 조금

● 만드는 법

① 대구는 아가미를 들추고 손을 넣어 내장을 잡아 빼놓는다.

② 깨끗이 씻어 5cm 길이로 토막치고 내장도 깨끗이 씻는다.

③ 배추는 살짝 데쳐 김발 위에 펴 놓고 채썬 당근을 얹어 단단하게 말아 3cm 길이로 썬다.

④ 미나리는 깨끗이 손질하여 3cm 길이로 자르고 파는 어슷 썬다. 쑥갓은 밑둥을 잘라내고 깨끗이 씻어 놓는다.

⑤ 표고버섯은 꼭지를 떼고 씻어 뒷면에 칼집을 넣어 모양을 낸다. 무는 도톰하게 썬다.

⑥ 냄비에 다시마와 술, 물 5컵을 부어 팔팔 끓여 다시마는 건져내고 미나리와 쑥갓을 제외한 모든 재료들을 넣어 끓인다.

⑦ 레몬즙과 간장을 섞어 만든 뽄즈유와 생강 · 무 · 파 다진 것을 준비한다.

⑧ ⑥이 거의 익어가면 쑥갓과 미나리를 넣고 끓여 익으면 뽄즈유에 생강 · 파 · 무 등을 섞어 찍어 먹는다.

○ 조리 포인트

　대구의 참맛은 머리에 있으므로 토막낸 머리도 사
용한다.

순두부 찌개

■ 재　료

순두부	300g	조갯살	50g
돼지고기	100g	김치	100g
소금	1큰술	식용유	1큰술
파	약간		

◆양념장

고춧가루	1큰술	간장	약간
파	약간	마늘 다진 것	약간
참기름	약간		

● 만드는 법

　① 조갯살은 소금물에 씻어 건지고, 돼지고기는 저
며 썰어 갖은 양념한다.

　② 김치는 잘게 썰고 파는 어슷 썬다.

　③ 뚝배기에 기름을 두르고 고기를 볶다가 김치를

볶고, 물을 부어 끓인다.

④ ③에 순두부를 넣고 다시 끓인다.

⑤ ④에 조갯살·파·양념장을 얹어 다시 한 번 끓여낸다. 간이 부족하면 소금으로 맞춘다.

연두부 시금치 볶음

■ 재 료

연두부	2모	시금치	100g
마른 새우	30g	파	1/2대

마늘	1쪽	식용유	약간
소금	약간	참기름	약간
녹말	2큰술	후춧가루	약간

● 만드는 법

① 시금치는 끓는 물에 데쳐 내어 송송 썬다.

② 마른 새우는 미지근한 물에 불려 곱게 다지고, 파는 어슷 썬다.

③ 팬을 달구어 기름을 두르고 파·마늘을 볶아 향이 나면 새우를 볶는다.

④ 육수를 ③에 부어 끓으면 시금치와 연두부를 넣고, 소금간하여 끓인다.

⑤ ④에 물녹말을 넣어 농도를 내고 참기름·후춧가루로 맛을 낸다.

표고 두부 된장 찌개

■ 재 료

표고버섯	4장	두부	1/4모
애호박	1개	쇠고기	50g
붉은고추	2개	풋고추	2개
대파	1/2대	된장	2큰술
고춧가루	1큰술	멸치	10마리

● 만드는 법

① 표고버섯은 미지근한 물에 충분히 불려서 밑둥을 잘라내고 먹기 좋게 썬다.

② 두부·호박은 1cm 두께로 썰고, 쇠고기는 얄팍하게 썬다.

③ 붉은고추·풋고추는 어슷하게 썰어 씨를 털어낸다.

④ 대파는 깨끗이 씻어 어슷하게 썬다.

⑤ 멸치는 내장을 빼고 반으로 잘라 잘게 부순다. 이때 프라이팬에 살짝 볶아 물기를 없애 바삭하게 만든 다음 분마기에 넣고 찧으면 쉽게 가루낼 수 있어 편하다.

⑥ 뚝배기에 물을 붓고 멸치가루를 넣어 끓여서 멸

치국물을 우린다. 여기에 된장을 고루 풀어 넣는다.

⑦ ⑥에 얄팍하게 썬 고기를 넣고 한소끔 끓인다.

⑧ ⑦에 준비한 두부 · 애호박 · 표고버섯 · 고추 · 파 등을 넣어 끓인다.

○ 조리 포인트

된장찌개는 재료를 넣고 너무 오래 끓이면 맛이 덜하다. 일단 된장을 풀고 재료를 넣어 한소끔 팔팔 끓으면 불에서 내리도록 한다. 그래야 재료가 너무 무르지 않고 된장 특유의 향기도 즐길 수 있다.

비지 찌개

■ 재 료

흰콩	1컵	배추	400g
무	200g	돼지갈비뼈	300g

◆양념장

간장	5큰술	깨소금	2큰술
참기름	1큰술	고춧가루	1작은술

파 다진 것 · 마늘 다진 것

● 만드는 법

① 콩은 골라 하룻밤 정도 물에 불린 다음 곱게 간다.

② 배추는 씻어 살짝 데쳐서 송송 썰고 무는 사방 2cm 크기로 납작하게 썬다.

③ 돼지갈비뼈는 물에 담갔다 깨끗이 손질한 후 파 · 마늘 · 생강을 넣고 물을 부어 푹 끓여 육수를 만든 다음 파 · 마늘 · 생강을 건져낸다.

④ 뚝배기에 살짝 데쳐서 송송 썬 배추와 납작하게 썰어 놓은 무를 깔고 볶다가 콩 간 것을 넣고 돼지갈비뼈로 만든 육수를 부어 약한 불에서 저어 주면서 푹 끓인다.

⑤ 양념장을 만들어 곁들인다.

○ 조리 포인트

돼지뼈는 끓는 물에 살짝 데쳐 내서 밑이 두터운 냄

비에 넣고 물을 부은 후, 파잎과 조미료술을 넣고 푹
고아 국물을 우려내도 좋다.

돼지고기 찌개

■ 재 료

돼지고기	200g	시금치	1/4단
팽이버섯	1/2봉지	미나리	1/4단
무	1/3개	대파	1대

◆국물

흰된장	1큰술	다시마 국물	4컵
조미료술	1큰술		

● 만드는 법

① 시금치는 끓는 물에 소금을 조금 넣고 살짝 데쳐 찬물에 헹구어 물기를 꼭 짠 다음 4cm 길이로 썬다.

② 팽이버섯은 밑둥을 자르고 씻어서 데친 미나리로 몇 줄기씩 묶는다.

③ 무는 껍질을 벗겨 부드럽게 삶아서 납작납작하게 썬다.

④ 당근은 꽃모양으로 썰고 파는 3cm 길이로 큼직하게 자른다.

⑤ 냄비에 다시마 국물과 조미료술을 넣고 끓인다.

⑥ 흰된장을 풀어 넣어 돼지고기의 냄새를 없애고 고기가 익으면 파와 준비한 야채를 넣어 다시 한 번 끓여서 먹는다.

○ 조리 포인트

돼지고기 찌개를 끓일 때는 무엇보다 돼지고기 특유의 냄새를 없애는 것이 중요하다. 조미료술과 된장 외에도 생강을 넣으면 맛이 더 산뜻해진다. 돼지고기는 기름이 조금 섞인 것으로 고르는 것이 국물맛을 내는 데 좋다. 얼큰한 찌개를 원할 때는 냄비에 식용유를 두르고 마늘·고춧가루를 넣고 볶다가 고기와 물·야채를 넣고 끓이면 된다.

명란젓 찌개

■ 재 료

명란젓	1쌍	두부	1/2모
송이버섯	조금	쑥갓	조금
대파	1대	풋고루	1개
붉은고추	1개		

진간장 · 국간장 · 새우젓국 · 소금 · 식용유

◆알전 재료

달걀	1개	꼭 짠 두부	3큰술

밀가루 · 파 · 마늘 다진 것 · 풋고추 다진 것

● 만드는 법

① 두부는 3등분하여 1cm 두께로 썰어 소금을 뿌려 둔다.

② 쑥갓은 2등분, 송이버섯은 적당히, 파·고추는 어슷 썬다.

③ 꼭 짠 두부, 다진 파·마늘·풋고추에 명란젓을 다져 섞고 숟가락으로 한 입씩 떠서 밀가루에 살짝 굴린다. 달걀물에 적신 후 프라이팬에 기름을 두르고 지져 낸다.

④ 멸치와 말린 새우를 넣어 육수가 2컵 정도로 나오게 준비한다.

⑤ 냄비에 육수를 붓고 끓으면 진간장·국간장·소금으로 간을 맞추고 마지막에 새우젓국을 조금 넣어 시원한 맛을 낸다.

⑥ ⑤에 소금간이 밴 두부를 넣고 ③의 알전과 준비한 야채를 한 번에 집어 넣는다.

○ 조리 포인트

알전은 명란젓과 다진 야채·두부의 양이 비슷해야 맛이 부드럽다. 알전을 부칠 때 밀가루가 너무 많이 묻으면 맛이 딱딱해지므로 묻는 둥 마는 둥 살짝 굴린다. 멸치국물을 낼 때 말린 새우를 넣으면 한결 단맛 나는 육수를 만들 수 있다.

게 찌개

■ 재 료

꽃게 ····························· 2마리   배추 ······························· 6잎

시금치 ···························· 1/2단

◆국물

다시마 ···························· 20cm   흰된장 ························· 1큰술

물 ································· 4컵

● 만드는 법

① 꽃게는 싱싱한 것으로 골라 솔로 살살 문질러 씻고 다리 끝부분은 잘라 버린다. 등딱지와 집게발을 뗀 후 몸통을 토막내는데 칼로 단번에 내리쳐야 쉽게 잘

라진다.

② 배추와 시금치를 각각 손질해서 삶은 다음 찬물에 헹궈 물기를 꼭 짠다.

③ 김발 위에 배춧잎 2장을 넓게 펴고 앞쪽에 시금치를 얹어 돌돌 말아 3cm 길이로 썬다.

④ 국물을 만든다. 먼저 찬물 4컵에 다시마를 넣고 5분 정도 팔팔 끓이다가 다시마는 건져낸다.

⑤ ④에 흰된장을 풀어 넣고 손질한 게와 ③의 배추말이를 넣고 게껍질이 발갛게 될 때까지 끓인다.

○ 조리 포인트

게를 조리할 때 먹기 좋게 토막을 내고 집게발에 칼집을 내어 두면 살을 쉽게 발라 낼 수 있어 먹기에 편하다. 위처럼 맑은 게찌개도 맛있지만 끓는 물에 고추장과 된장을 3:1 비율로 풀고 고춧가루를 넣어 얼큰하게 끓여도 별미. 이때 애호박이나 무 등의 야채를 넣으면 더 시원하고 구수한 꽃게탕을 즐길 수 있다.

김치 찌개

■ 재 료

배추김치	1포기	쇠고기 다진 것	150g
연두부	1개	굴	조금
팽이버섯	조금	송이버섯	조금

미나리 ⋯⋯⋯⋯⋯⋯⋯ 조금	쑥갓 ⋯⋯⋯⋯⋯⋯⋯⋯ 조금
붉은고추 ⋯⋯⋯⋯⋯⋯ 1개	대파 ⋯⋯⋯⋯⋯⋯⋯⋯ 1대
마늘 ⋯⋯⋯⋯⋯⋯⋯ 3쪽	

육수 · 진간장 · 국간장 · 소금 · 식용유 · 양파즙 · 후춧가루

● **만드는 법**

① 송이버섯, 파 1/2뿌리, 마늘 3쪽을 잘게 다져 다진 쇠고기와 고루 섞고 소금 · 후춧가루 · 진간장 · 양파즙을 넣어 간을 한다.

② 김치는 양념을 털고 5cm 길이로 썰어 줄기 쪽은 조금씩 냄비에 돌려 담고 잎사귀는 접시에 담아 식용유를 조금 뿌려 둔다.

③ ②의 김치 잎에 ①의 재료를 조금씩 놓고 한 입

94

크기로 쌈을 싼다.

④ 전골냄비에 ③을 돌려 담고 연두부에 소금·후춧가루를 뿌려 간을 한 후 가운데에 살며시 놓는다.

⑤ 팽이버섯·파·미나리·붉은고추·쑥갓도 깨끗이 손질하여 ④에 돌려 담는다.

⑥ 굴을 연두부 위에 소담스럽게 얹는다.

⑦ 육수는 진간장·국간장·소금으로 간을 맞춘 후 재료가 잠길 정도로 냄비에 붓고 끓인다.

○ 조리 포인트

김치에 식용유를 뿌리면 김치의 맛이 부드러워진다. 보통 두부 대신 연두부를 넣으면 맛이 한결 부드럽다. 김치찌개를 끓일 때 쑥갓·미나리 등 향이 진한 야채는 많이 넣지 않도록 주의한다. 김치의 향기가 중요하기 때문이다.

호박 젓국 찌개

■ 재 료

애호박	1/3개	두부	1/6모
붉은고추	2개	실파	조금
마늘	2쪽	새우젓국	2큰술
물	2.5컵	소금	조금
참기름	조금		

● 만드는 법

① 애호박은 4등분하여 도톰하게 썬다. 두부도 4등분한다.

② 고추는 어슷하게 썰고 실파는 3cm 길이로 썬다.

③ 끓는 물에 소금을 약간 넣고 애호박과 고추, 채친 마늘을 넣고 끓인다.

④ ③에 두부를 넣어 한소끔 끓으면 실파를 넣고 새우젓국과 참기름 한 방울을 넣어 잠시 끓인 다음 불을 끈다.

○ 조리 포인트

　냄비의 모양과 크기는 맛있는 찌개요리를 하는데 중요한 조건이 된다. 생선과 같이 모양이 부서지기 쉬운 재료는 넓고 평평한 그릇이 좋고, 오래 끓이면서 먹는 요리는 반대로 깊이가 깊은 냄비를 사용해야 국물의 증발을 막을 수 있기 때문이다. 어느 찌개요리를 하든지 냄비는 찌개 재료가 넉넉히 들어가는 크기를 선택해야 열의 침투도 골고루 되고 넘쳐서 지저분해지는 것을 방지할 수 있다. 작은 냄비에 적은 양의 찌개를 끓일 경우 재료는 냄비의 1/2 정도만 담도록 한다.

무장국

■ 재 료

무	1개	쇠고기	100g
참기름	1큰술	마늘 다진 것	2작은술
물	8컵	청장	조금
파	1대		

◆쇠고기 양념

소금	1작은술	참기름	1작은술
후춧가루	조금	마늘 다진 것	1작은술

● 만드는 법

① 무는 깨끗이 씻어서 3cm 폭으로 토막을 내고 3cm×2.5cm의 네모꼴로 납작납작하게 썬다.

② 쇠고기는 채썰어서 분량의 소금·참기름·후춧가루·마늘을 넣고 고루 무친다.

③ 냄비에 참기름을 두르고 ②의 쇠고기를 볶아 색이 변하면 썬 무와 다진 마늘을 넣고 볶는다. 전체에 고루 기름이 퍼지면 물을 붓고 센 불에서 끓인다.

④ 끓어 오르기 시작하면 위에 떠오르는 기름과 거품을 말끔히 걷어 내고 불을 약하게 줄여서 맛이 충분히 어우러질 때까지 끓인다.

⑤ 무가 익으면 청장으로 간을 맞춘다.

⑥ 파를 채썰어 ⑤에 넣고 잠시만 더 끓여서 대접에 담아 낸다. 식성에 따라 후춧가루를 뿌려 먹어도 좋다.

○ 조리 포인트

무를 납작하게 썰어 고기와 함께 볶아 물을 부어 끓인 맑은 무국으로 이것을 무황볶기탕이라고도 한다. 양지머리를 덩어리째 끓이다가 무를 큰 토막으로 넣어 무를 때까지 서서히 끓이면 국물이 더 맑고 시원하다. 건더기는 익은 후 건져서 작게 썰어 담아 낸다.

배추속대국

■ 재 료

배추속대	300g	대파	1대
쇠고기	50g		

◆쇠고기 양념

파 다진 것 · 마늘 다진 것 · 참기름 · 후춧가루

◆국물

된장 ························· 1.5큰술　　고추장 ··························· 1/2큰술

쌀뜨물 ························ 4컵

● 만드는 법

① 배추속대는 연한 것으로 준비하여 깨끗이 씻은 후 먹기 좋은 크기로 대강 썰어 놓는다.

② 쇠고기는 얇게 썰어 파 · 마늘 다진 것, 참기름 · 후춧가루로 고루 양념해 둔다.

③ 냄비에 ②의 양념한 쇠고기를 볶다가 고기가 익으면 준비한 쌀뜨물을 붓고 분량의 된장, 고추장을 넣어 다시 푹 끓인다.

④ 대파를 가늘게 채썰어 얹는다. 식성에 따라 고춧가루를 조금 넣기도 한다.

○ 조리 포인트

배추는 자체에 단맛이 있으므로 고추장이나 된장을 많이 풀지 않는 것이 좋다. 된장은 조리를 국물에 담근 채 연하게 푼다. 쇠고기 국물 대신 푹 고은 사골 국물을 이용해도 구수하다. 사골은 밑이 두터운 냄비를 준비해 사골과 물 · 파잎 · 조미료술을 넣고 2~3시간 푹 고아 만든다.

가자미 맑은 장국

■ 재 료

가자미	200g	쇠고기	200g
팽이버섯	1/2봉지	배추속대	조금
쑥갓	조금	미나리	조금
파	조금	붉은고추	조금
달걀 흰자	1개분	밀가루	조금

◆양념

국간장 · 진간장 · 흰후춧가루 · 마늘 · 양파즙

● 만드는 법

① 가자미는 뼈를 발라 내고 껍질째 5cm 길이로 토

막친다.

② ①의 가자미를 살 부분이 위로 오도록 접시에 담고 흰후춧가루와 양파즙을 뿌려 잠시 둔다.

③ ②에 밀가루를 뿌리고 달걀 흰자를 얇게 끼얹는다.

④ 프라이팬에 ③의 살 쪽만 살짝 지진다.

⑤ 끓는 물에 쇠고기 덩어리와 소금을 조금 넣어 푹 끓인 다음 체에 밭쳐 맑은 육수를 만든다.

⑥ 냄비에 육수 5컵을 붓고 국간장 · 진간장 · 소금을 조금씩 넣어 간을 맞춰 끓인다.

⑦ 파 · 붉은고추는 어슷 썰고 미나리는 파 길이로, 배추속대는 한 입 크기로 썬다.

⑧ ⑥의 육수가 끓으면 지져 놓은 가자미를 넣고 한소끔 끓으면 손질한 야채를 모두 넣는다.

○ 조리 포인트

지진 가자미는 껍질 쪽이 위에 오게 끓여야 살이 부서지지 않는다. 맨 마지막에 참기름 1/4작은술을 떨어뜨리면 비린내를 말끔히 없앨 수 있다.

미역국

■ 재 료

마른 미역 ························· 50g 쇠고기 ························· 100g

참기름 ·························· 2큰술	다진 마늘 ························ 1큰술
물 ······························· 8컵	청장 ······························

◆쇠고기 양념

소금 ························· 1작은술	참기름 ······················ 1작은술
후춧가루 ······················ 조금	다진 마늘 ··················· 1작은술

● 만드는 법

① 마른 미역은 물에 재빨리 씻어서 다시 미역이 잠
길 정도로 물을 부어 불린 다음 건져서 물기를 꼭 짜
5cm 길이로 썬다.

② 쇠고기는 채썰어 분량의 쇠고기 양념을 넣고 고
루 무친다.

③ 냄비에 참기름을 두르고 ②의 쇠고기를 볶아 고

기가 익으면 이어서 미역과 다진 마늘을 넣고 볶아 전체에 고루 기름이 퍼지면 물을 부어 센 불에서 끓인다.

④ 펄펄 끓어 오르면 불을 약하게 줄여서 맛이 충분히 어우러질 때까지 끓이고 청장으로 간을 맞춘다.

○ 조리 포인트

미역국은 보통 쇠고기를 잘게 썰어 미역과 한데 볶아 끓여 먹지만 미리 양지머리나 사골 등을 고아 만든 국물에 미역을 넣어 끓여도 맛있다. 육류를 전혀 넣지 않고 조개나 홍합을 넣어 끓이기도 하는데 맛이 육류와 달리 산뜻하고 시원하다. 그외에도 참깨를 갈아 체에 밭쳐 뿌연 국물을 받아서 미역국을 끓이면 구수한 맛이 일품이다.

만두국

■ 재 료

육수	4컵	국간장	조금
붉은고추	조금		

◆만두피(40장 분량)

밀가루	2컵	물	1/2컵
소금	조금		

◆만두소

쇠고기	200g	두부	1/4모
부추	100g	다진 마늘	1큰술
다진 파	2큰술	깨소금	조금
참기름	조금	후춧가루	조금
소금	조금		

● 만드는 법

① 밀가루에 소금과 물을 넣고 반죽하여 비닐 봉지에 넣어 30분간 두었다가 치대어 곱게 반죽해서 지름이 7~8cm가 되게 밀어 만두피를 만든다.

② 쇠고기는 곱게 다진다.

③ 두부는 물기를 꼭 짜서 곱게 부슬러 넣고 부추는 송송 썰어 놓는다.

④ 넓은 그릇에 다진 쇠고기와 준비해 놓은 두부와 부추를 넣고 파·마늘·깨소금·후춧가루·소금·참기름으로 양념하여 만두소를 만든다.

⑤ 붉은 고추는 둥글게 썰어 놓는다.

⑥ 만두피에 ④의 소를 얹고 석류 모양이 되도록 주름을 잡아 꼭 아물린다.

⑦ 냄비에 물을 끓여 만두를 삶아 찬물에 건진 뒤 식혀 놓은 육수에 간을 하고 만두와 붉은 고추를 넣는다.

○ 조리 포인트

만두소는 어느 한 재료가 조금 많이 들어가도 맛이 달라지므로 재료의 혼합 비율에 특히 신경을 써야 한다. 만두피를 만들 때는 여러 번 치대어 반죽하는 것이 부드럽고 쫄깃쫄깃한 만두를 만드는 비결이다.

볶 음

양볶음

■ 재 료

재료	분량	재료	분량
양	300g	소금	2찻술
파	3뿌리	마늘	1쪽
생강	1.5찻술	후춧가루	3/4찻술

106

참기름	1큰술	실백	3큰술
계란	1개		

● 만드는 법

① 양은 소금으로 깨끗이 씻은 다음 가늘게 썰어서 갖은양념으로 재어 살짝 볶는다.

② 실백은 물을 약간 붓고 절구에 찧는다.

③ 잣물과 볶아 놓은 양을 한데 섞고 간을 맞추어 끓인다.

④ 계란은 지단을 붙여 채썰어 위에 뿌린다.

각색볶음

■ 재 료(5인분)

염통	500g	콩팥	500g
양	500g	처녑	500g
간	500g	표고	20g
양파	50g	소금	3찻술
파	5뿌리	마늘	5쪽
설탕	1큰술	후춧가루	1.5찻술
잣가루	1큰술		

● 만드는 법

① 처녑과 양은 안팎 껍질을 벗기고 소금으로 주물

러 여러 번 씻은 다음 앞뒤로 칼집을 낸 후 채로 썬다.

② 염통과 콩팥은 얇은 막을 벗기고 가늘게 채썰어 놓는다.

③ 위의 재료를 따로따로 양념한다.

④ 표고·양파도 채로 썬다.

⑤ 위의 것들을 각각 참기름에 볶아 겹겹이 담고 잣가루를 위에다 뿌린다.

은행볶음

■ 재 료

은행·꼬치

기름

● 만드는 법

① 은행은 겉껍질을 벗겨 기름에 볶아 종이에 싸서 비비면 속껍질도 벗겨진다.

② 이것을 꼬치에 3~4개씩 꿰어 놓는다.

생치과전지

■ 재 료(5인분)

꿩	300g	절인 오이	3개
실고추	조금	실백(잣가루)	1찻술

양념(소금 · 참기름 · 잣가루 · 설탕 · 후춧가루 · 파 · 마늘)

● 만드는 법

① 꿩고기를 물에 여러 번 헹구어 피를 빼고 얇게 저며서 소금과 잣가루 · 설탕 · 후춧가루 · 파 · 마늘로 양념하여 참기름에 볶는다.

② 절인 오이는 껍질을 벗기고 얇게 썰어 잣가루 · 설탕 · 파 · 마늘 · 후춧가루로 양념을 하여 참기름에 볶는다.

③ 꿩고기와 오이 볶은 것을 합에 담고 실고추와 잣가루를 뿌린다.

이 생치과전지는 정월 초하루와 정월 보름날 먹는 음식이라고 전해지고 있다.

구 이

구이는 쇠가리 · 안심 · 등심 · 염통 · 콩팥 · 간 등을 얇게 저며서 안팎을 칼질해서 연하게 한 다음 양념장에 재어 놓았다가 식사 직전에 구워서 더운 김에 먹게 하는 것이다. 약포와 편포와 같이 쇠고기를 양념하여 햇볕에 말려 가지고 구이로 할 수 있다.

가리구이

■ 재 료(5인분)

쇠가리	1.8kg	간장	9큰술
설탕	4큰술	배	반 개
마늘	3큰술	깨소금	3큰술
후춧가루	2.5찻술		

● 만드는 법

① 쇠가리는 6~7cm 길이로 잘라 칼질하여 연하게 해서 양념한다.

② 배는 껍질을 벗겨 잘라 즙을 내어 양념한 쇠가리에 고루 섞어 배게 한다.

③ 식사하기 직전에 굽는다.

너비아니

■ 재 료(5인분)

쇠고기	600g	간장	6큰술
설탕	3큰술	파	6뿌리
마늘	2쪽	생강	2쪽
후춧가루	1.5찻술	깨소금	4큰술
참기름	2큰술		

● 만드는 법

① 안심이나 등심의 연한 고기를 얇게 저며 칼로 자근자근 두드린다.

② 부드럽게 된 고기를 간장과 각종 양념으로 간맞추어 재어 두었다가 굽는다.

닭구이

■ 재 료(5인분)

닭고기	300g	소금	1.5찻술
마늘	1쪽	생강	약간
참기름	1찻술	깨소금	2찻술
설탕	2찻술		

● 만드는 법

① 닭고기는 저며서 잔칼질을 한다.

② 파 · 마늘은 곱게 다지고 생은 즙을 낸다.

③ 만들어 놓은 파 · 마늘에다 참기름 · 깨소금 · 설탕 · 소금을 넣고 닭고기를 재어 석쇠에 굽는다.

돼지고기 구이

■ 재 료

돼지고기 ························· 600g   고추장 ····························· 2찻술
양념(간장 · 생강 · 후춧가루 · 깨소금 · 참기름 · 파 · 마늘)

● 만드는 법

① 돼지고기는 살코기를 얇게 저며 칼등으로 가볍게 두드린다.

② 양념장을 만들어 저민 고기를 재운다.

③ 식사하기 직전에 석쇠에 구워 더운 것을 상에 놓는다.

생선구이

■ 재 료(5인분)

생선(민어 · 대구 · 병어 · 조기 · 도미 · 숭어)

생강즙 ····························· 1찻술

양념(간장 · 설탕 · 참기름 · 후춧가루 · 깨소금 · 파 · 마늘)

● 만드는 법

① 생선은 비늘을 긁고 내장을 뺀 다음 깨끗이 씻어 반으로 가르고 6~7cm로 자른다.

② 준비한 양념들로 양념장을 만들어 토막낸 생선을 재어 놓는다.

③ 석쇠를 미리 달구어 놓은 다음 기름을 바르고 재어 놓은 생선을 양념장을 바르면서 굽는다.

대합구이

■ 재 료(5인분)

대합 ····················· 12개	대합살 ····················· 500g
쇠고기 ·················· 100g	두부 ······················ 1/4모
계란 ··············· 50g(1개)	밀가루 ··················· 1큰술
소금 ····················· 3찻술	파 ························· 5큰술
깨소금 ·················· 2큰술	참기름 ··················· 1큰술
후춧가루 ················ 1찻술	설탕 ······················ 2큰술

지짐기름 ····················· 2큰술

● 만드는 법
① 대합살을 씻어 살짝 볶아 물기 없이 건져 칼로 다진다.
② 쇠고기는 곱게 다져 양념하여 약간만 볶는다.
③ 대합 · 쇠고기 · 두부를 섞어 소금간을 맞추고 갖은양념을 하여 대합껍질에 담아 밀가루와 계란을 발라 번철에 기름을 두르고 굽는다.
④ 계란이 익으면 석쇠에 젖혀 놓고 잠깐 구워서 초장을 곁들여 내놓는다.

더덕구이

■ 재 료(5인분)

더덕 ························· 400g
간장 ························· 3큰술
설탕 ························· 1.5큰술
깨소금 ····················· 8찻술
참기름 ····················· 4찻술
파 ··························· 4뿌리   마늘 ························· 4쪽
고춧가루 ··················· 2찻술

● 만드는 법

① 더덕은 시들지 않은 것으로 껍질을 벗겨 물에 담가 우린다.

② 우려낸 더덕을 세로로 둘이나 셋으로 쪼개서 도마에 놓고 칼등으로 두둘겨 살짝 삶는다.

③ 양념을 한데 넣고 간은 간장만으로 해도 되고 간장에 고추가루를 섞어서 쓰도록 하며 또 간장을 고추장에 풀어 양념장을 만들어도 좋다.

④ 양념장에 더덕을 무친 다음 약한 불로 구워 4cm 길이로 썰어 접시에 담는다.

산적과 누름적

육산적

■ 재 료(5인분)

우둔고기	300g	간장	3큰술
설탕	0.5큰술	깨소금	2큰술
참기름	1큰술	후춧가루	조금
파	3뿌리	마늘	2쪽

● 만드는 법

① 연한 살코기를 1cm 두께로 떠서 잔칼질을 하고 5~6cm 길이로 연필 굵기만큼씩 썬다.

② 파·마늘·간장·설탕·후춧가루 등으로 양념장을 만들어 고기를 거기에 주물러 재운다.

③ 7cm 길이의 대꼬치로 고기를 꿰어 도마에 편편하게 놓고 잔칼질을 하여 서로 붙게 한다.

④ 이것을 석쇠에 놓고 굽는다. 혹은 프라이팬에 기름을 두르고 굽는 법도 있다.

어산적

■ 재 료

쇠고기	200g	간장	6큰술
설탕	3큰술	깨소금	4큰술
참기름	4찻술	후춧가루	1.5찻술

파 1뿌리	마늘 6쪽
잣가루 1큰술	민어 300g

● 만드는 법

① 민어를 살로만 5~6cm 길이로 연필 굵기 정도로 썰고 쇠고기도 1cm 두께로 떠서 생선과 같은 크기로 썰어서 양념장에 잰다.

② 꼬치를 7cm 길이로 잘라 기름을 바른 후 고기와 생선을 번갈아 꿰어 도마 위에 놓고 칼등으로 자근자근 눌러서 한데 붙은 것처럼 만들어 석쇠에 굽는다. 접시에 담을 때는 그대로 담아도 좋고 꼬치를 가만히 돌려서 뺀 후 잣가루를 뿌리면 좋다.

송이산적

■ 재 료(5인분)

송이	300g	쇠고기	300g
간장	4큰술	설탕	2큰술
후춧가루	조금	깨소금	4큰술
참기름	4큰술	파	4뿌리

● 만드는 법

① 줄기가 단단하고 굵으며 갓이 펴지지 않고 둥글게 뭉쳐 있는 싱싱하고 우유빛 나는 깨끗한 송이를 골라 껍질을 벗기고 깨끗이 씻어 4cm길이, 6cm~8cm 두께로 자른다.

② 쇠고기는 송이와 같은 크기로 썰어 칼로 가볍게 두드려 연하게 한다.

③ 손질한 송이와 쇠고기를 양념장에 잰다.

④ 송이와 쇠고기 잰 것을 번갈아 가며 꼬치에 꿰어 석쇠에 살짝 굽는다.

⑤ 초장 또는 겨자를 찍어 먹는다.

파산적

■ 재 료

파	100g	쇠고기	100g

양념(간장 · 설탕 · 참기름 · 후춧가루 · 파 · 마늘 · 깨소금)

● 만드는 법

① 쇠고기는 7~8cm두께, 4~5cm길이로 썰어 칼로 가볍게 두드린 후 양념한다.

② 파는 깨끗이 씻어 4~5cm로 자른다.

③ 위의 것들을 번갈아 꼬챙이에 꿰어 석쇠에 굽는다.

화양적

■ 재 료(5인분)

쇠고기(우둔대접살)	300g	당근	1개
오이	1개	생도라지	300g
잣가루	1큰술	계란	1개
갖은양념			

● 만드는 법

① 쇠고기는 6cm 길이로 썰어 양념하여 볶는다.

② 도라지는 소금물에 살짝 삶아서 쇠고기와 같은 길이로 잘라 양념하여 참기름에 볶는다.

③ 오이는 도라지 크기로 썰어 소금에 절인다.

④ 당근은 같은 크기로 썰어 소금물에 살짝 데친다.

⑤ 위의 재료들을 차례대로 꼬치에 꿰어 굽는다.

두릅적

■ 재 료(5인분)

두릅	400g	쇠고기	100g
밀가루	3큰술	계란	2개
기름	3큰술		

양념(설탕 · 깨소금 · 참기름 · 후춧가루 · 파)

● 만드는 법

① 두릅은 삶아 껍질을 벗기고 5~6cm 길이로 자른다.

② 쇠고기는 연하게 저며 5cm 길이로 연필 굵기로 자른다.

③ 양념장을 만들어 두릅과 쇠고기를 각각 무쳐 꼬치에 번갈아 꿴다.

④ 꼬치에 꿴 것을 밀가루를 묻힌 다음 계란에 굴려 프라이팬에 지져낸다.

김치 누름적

■ 재 료

배추김치	1포기	쇠고기	150g
표고	4개	느타리	4개
파	1단	밀가루 · 지짐 기름 · 양념	
계란	1개		

● 만드는 법

① 쇠고기는 5cm 길이와 7~8cm 굵기로 썰어서 칼로 자근자근 두들겨 양념에 잰다.

② 표고 · 느타리 · 파 등도 쇠고기와 같은 크기로 썰어서 양념한다.

③ 배추김치도 쇠고기와 같은 길이로 썰어 놓는다.

④ 쇠고기와 배추김치 · 표고 · 느타리 · 파 등의 산적감을 꼬챙이에 꿰어서 밀가루와 계란을 씌워서 번철에 지진다.

미나리 누름적

■ 재 료

쇠고기	70g	미나리	2단
계란	2개	밀가루 · 기름 · 양념	

● 만드는 법

① 쇠고기는 5cm 길이, 6~7cm 두께로 썰어 칼로 두드려 양념에 잰다.

② 미나리는 깨끗이 다듬어 끓는 물에 살짝 데친 다음 5cm 길이로 자른다.

③ 쇠고기 잰 것과 미나리를 꼬챙이에 꿰어 밀가루 · 계란의 순으로 씌우고 프라이팬에 지진다.

잡누름적

■ 재 료(5인분)

곤자소니	80g	양	80g
전복	80g	해삼	80g
송이	100g	움파	50g
당근	50g	간장	4큰술
설탕	2큰술	깨소금	2큰술
후춧가루	2찻술	파	3뿌리
마늘	3쪽		

● 만드는 법

① 곤자소니 · 양 · 전복 · 해삼 등은 다 삶아서 6~7cm 길이로 연필 굵기만큼씩 썰어서 양념한다.

② 당근도 고기와 같은 크기로 썰어서 소금물에 삶아 양념하고, 송이도 같은 크기로 썰어 양념장에 무친

123

다. 움파도 같은 길이로 살짝 데쳐 놓는다.

③ 여러가지 재료를 꼬치에 꿰어 가장자리를 다듬어 접시에 돌려 담는다.

확 초

초(炒)는 볶는다는 뜻으로 하나의 조리법이다. 해산물 중에서 전복이나 홍합을 가지고 단간장으로 조려서 끝에 가서 녹말가루를 넣어 아주 국물이 흐르지 않게 되고 또 윤이 나게 한다.

또 숙실과 중에 대추초 · 밤초가 있는데, 이것은 꿀을 넣고 달게 조렸다는 뜻이다.

전복초

■ 재 료

전복	200g	쇠고기	100g
진간장	2큰술	생강	1쪽
잣가루	1큰술	참기름	1큰술
설탕	1큰술	후춧가루	조금

● 만드는 법

① 말린 전복은 따뜻한 물에 불린 다음 오래도록 삶

아 연하게 한다.

② 삶은 전복은 얇게 저민다.

③ 쇠고기는 납작하게 썰어서 물에 덮일 만큼 물을
붓고 끓인다.

④ 여기에 전복을 넣고 물이 거의 다 졸도록 끓인다.

⑤ 나머지 간장과 양념을 넣고 다시 조린다.

⑥ 졸깃졸깃 윤택이 나며 까맣게 졸여지면 접시에
담고 잣가루를 뿌린다.

홍합초

■ 재 료(5인분)

홍합	10개	참기름	1찻술
녹말가루	1찻술	진간장	1큰술
설탕	2찻술	소금	1찻술

● 만드는 법

① 홍합은 물에 충분히 불린 다음 간장과 물을 넣고 끓인다.

② 홍합의 빛깔이 거무스름해지면 설탕 · 참기름 · 깨소금을 넣고 약한 불에 조린다.

③ 녹말가루를 물에 개어 넣고 조금 더 졸인다.

조 림

조림이란 풋고추나 두부 · 감자 같은 것을 기름에 지져 가지고 간장을 부어서 조려 깨소금 · 후춧가루를 뿌린 것을 말한다.

여름철에 음식이 상하기 쉬운 때에 간을 짜게 해서 조리면 상하지 않고 오래 두고 반찬을 할 수 있다.

생선조림

■ 재 료(5인분)

쇠고기	100g	간장	3큰술
생강	반 쪽	파	2뿌리
실고추	약간	생선(민어 · 조기 · 도미 · 비웃)	300g

양념(설탕 · 깨소금 · 참기름 · 후춧가루 · 파 · 마늘)

● 만드는 법

① 생선은 비늘을 긁고 내장을 빼어 씻은 후 6~7cm 크기로 자른다.

② 쇠고기는 양념하여 생선 위에 얹고 파 · 설탕 · 참기름 · 깨소금 · 실고추를 위에다 뿌린다.

③ 양념 위에 간장을 붓고 조린다.

육장(장조림)

■ 재 료

쇠고기(차돌박이·사태·우둔·쇠약지) · 600g	간장 ················· 1/2컵
설탕 ················· 3/4컵	후춧가루 ·············· 5/1찻술
생강 ················· 15g	통고추 ················· 1개
파 ················· 1뿌리	마늘 ················· 1쪽

● 만드는 법

① 고기는 기름기 없는 것으로 큼직하게 토막쳐 물을 붓고 한바탕 끓인다.

② 끓는 국물 위에 뜬 기름을 걷어내고 국물을 따른다.

③ 생강 · 파 · 마늘 · 통고추 등을 얄팍하게 썰어 넣고 간장을 부어 다시 조린다.

풋고추조림

■ 재 료

풋고추	100g	쇠고기	80g
계란	1개	밀가루	약간
파	약간	잣가루	약간

갖은양념(설탕 · 간장 · 후춧가루 · 깨소금 · 참기름 · 파 · 마늘)

● 만드는 법

① 풋고추는 반으로 갈라 반은 통으로 씻어 간장 · 설탕 · 파를 넣고 조린다.

② 나머지 풋고추는 반으로 쪼개 씨를 빼고 쇠고기를 다져 양념한 것으로 속을 박는다.

③ 이것을 밀가루와 계란에 차례로 씌워 프라이팬에 지진다.

④ ①과 ③을 함께 넣고 조린 다음 깨소금과 잣가루를 뿌린다.

콩조림

■ 재 료

콩	2컵	간장	1컵
설탕	4찻술	참기름 · 깨소금 · 파 · 생강	

● 만드는 법

① 콩을 깨끗이 씻어 인다.

② 콩에다 간장과 물을 섞어 넣고 끓인다.

③ 여기에 설탕 · 기름 · 깨소금 · 파 · 생강 등 양념을 넣고 섞은 후 오래 졸인다.

감자조림

■ 재 료

감자 ································· 200g   쇠고기 ······························· 100g

파 · 소금 · 참기름 · 설탕 · 잣가루

양념(간장 · 설탕 · 후춧가루 · 깨소금 · 파 · 마늘 · 참기름)

● 만드는 법

① 감자는 껍질을 벗기고 납작납작 썰어서 양념에 재서 냄비에 담고, 감자 절인 것도 씻어서 함께 넣고, 간장과 파를 넣고 조리다가 참기름 · 설탕 · 깨소금 · 잣가루를 뿌린다.

② 감자는 부서지기 쉬우므로 자주 씻지 않는 것이 좋다. 그리고 감자는 한 번 소금에 절여서 조리면 부서지지 않는다.

장아찌

장아찌는 장과라고도 하는데 오히려 무·열무·미나리·배추속대 같은 것을 소금에 절이거나 햇볕에 말려서 물기를 빼고 쇠고기와 함께 넣고 볶아서 실고추·참기름·깨소금을 넣어 버무린 것이다.

마늘장아찌

■ 재 료
마늘(4월말~5월말) · 식초 · 설탕 · 간장

● 만드는 법
① 마늘은 속대가 생기지 않은 연한 것을 다듬어 꼭지만 자르고 항아리에 넣고 돌로 눌러 둔다.

② 빙초산에 물과 설탕을 타서 마늘이 잠길 정도로 붓고 꼭 봉해서 20일 가량 담가 둔다.

③ 20일 후에 초물을 2/3쯤 따라 버리고 간장을 마늘이 잠기도록 붓고 꼭 봉해 둔다.

④ 1개월쯤 되면 먹을 수 있으나 오래될수록 맛이 난다.

고추장아찌

■ 재 료

삭힌 고추 ·························· 200g   마늘 ························· 1통

생 ······································· 1쪽

진간장 · 실고추 · 설탕 · 화학조미료

● 만드는 법

  ① 삭힌 고추를 항아리에 담고 진간장을 붓고 이 간장 국물을 두세 번 끓여 붓는다.

  ② 고추에 마늘 · 생 · 실고추 · 설탕 · 화학 조미료를 넣고 버무린 후 꼭 눌러 놓는다.

  ③ 여기에 다시 간장을 부어 놓는다.

열무장아찌

■ 재 료

열무 ······························· 5단   쇠고기 ····················· 100g

파 ·································· 1단

소금 · 양념(간장 · 설탕 · 후춧가루 · 깨소금 · 참기름 · 파 · 마늘)

● 만드는 법

  ① 열무는 다듬어서 씻어 4~5cm 길이로 잘라 소금에 절인다.

② 쇠고기는 보드랍게 다져서 양념하여 볶는다.

③ 열무 절인 것을 짜서 볶은 쇠고기·참기름·설탕·깨소금을 넣는다.

미나리장아찌

■ 재 료
미나리 ······························· 5단   쇠고기 ······························· 80g
생강·양념(간장·설탕·후춧가루·깨소금·파·마늘)

● 만드는 법
미나리를 다듬어서 5cm 길이로 잘라 끓는 물에 살짝 데치고 쇠고기는 채로 썰어 양념하여 볶아 미나리와 같이 무친다.

참기름과 설탕을 쳐서 달콤하게 한다.

자 반

자반은 김이나 미역 같은 것에 양념장을 발라서 말려두고 먹을 때 석쇠에 굽거나 기름에 튀겨서 반찬으로 하는 것이다.

매듭자반

■ 재 료
다시마 ································ 3오리   실백 · 설탕 · 기름

● 만드는 법
　다시마를 동치미국에 축여서 보자기에 꼭 싸놓았다가 5~6cm 길이와 2cm 폭으로 썰어서 한 오리씩 실백을 속에 넣고 펄펄 끓는 기름에 넣고 튀긴다. 뜨거울 때 설탕과 잣가루를 뿌린다.

미역자반

■ 재 료
미역 ································· 5장   설탕 · 잣가루 · 기름

● 만드는 법
　① 미역은 깨끗한 행주로 모래를 잘 닦고 잘게 썰어 기름에 튀긴다.
　② 뜨거울 때에 미역에다 설탕과 잣가루를 뿌린다.

김자반

■ 재 료
김 ································· 10장   간장 ································· 3찻술
깨소금 · 설탕 · 참기름 · 고춧가루

● 만드는 법
① 깨소금 · 간장 · 설탕 · 고춧가루 · 참기름으로 양념간장을 만들어 김에 바른다.
② 여기에 잣가루를 뿌리고 채반에 넣어 말린다.
③ 바짝 마르면 석쇠에 놓고 살짝 구워 가지런히 베어 상에 올린다.

튀각과 부각

튀각은 다시마를 기름에 튀겨서 설탕과 잣가루를 뿌리는 조리법이다.
부각은 김이나 가죽나무 어린 잎이나 김 · 깻잎 등에 찹쌀풀을 발라서 말려 두고 기름에 튀기는 조리법이다.

다시마튀각

■ 재 료
다시마 ····························· 5오리   설탕 · 잣가루 · 기름

● 만드는 법
다시마를 동치미국 또는 소금물에 축여서 보자기에 꼭 싸놓았다가 행주로 닦아서 4~5cm 길이로 잘라 기름이 펄펄 끓을 때에 튀겨 가지고 설탕과 잣가루를 뿌려서 상에 놓는다.

김부각

■ 재 료
김 ····························· 10장   찹쌀가루 ························· 3찻술
설탕 · 후춧가루 · 소금 · 고춧가루 · 기름

● 만드는 법
① 찹쌀가루로 되직하게 풀을 쑤어서 설탕 · 후춧가루 · 소금 · 고춧가루에 간을 맞춘다.

② 김을 두 장으로 접어서 한쪽에 찹쌀풀을 발라 말려두고 쓸 때에 기름에 튀겨서 접시에 보기 좋게 담아놓는다.

포와 마른 찬

약 포

■ **재 료**(5인분)

쇠고기(우둔살)	600g	진간장	4큰술
설탕	3큰술	잣가루	1큰술
후춧가루	1/2찻술		

● **만드는 법**

① 기름이 없는 고기로 구이고기보다 두껍고 넓게 썬다.

② 양념장을 만들고 고기에 간이 배도록 잰다.

③ 채반에 기름을 바르고 그 위에 고기를 펴 넣어 볕에 말린다.

④ 한나절 말린 후에 간장을 발라 뒤집어서 말린다. 이와 같이 3~4일을 말린다.

⑤ 밥반찬으로 할 때는 살짝 구워 두드린 후 3~4cm로 잘라 참기름에 무치고 잣가루를 뿌린다.

어 포

■ **재 료**

생선(민어·대구·명태)	1마리	간장	4찻술

후춧가루 ·················· 1찻술 설탕 ····················· 1찻술
참기름 ···················· 1찻술

● **만드는 법**

① 생선은 비늘을 긁고 뼈와 내장을 뺀 후 살을 넓게 떠서 양념장에 재운다.

② 채반에 기름을 바르고 양념에 재운 생선을 펴서 말린다.

③ 자주 뒤집어서 안팎을 골고루 말린다.

어 란

● **만드는 법**

① 민어알을 깨끗이 씻어 건져 놓는다.

② 하루쯤 절여 볕에 말린다.

③ 꾸덕꾸덕할 때 걷어 종이로 싸서 차곡차곡 두었다가 볕에 하루쯤 말려 종이로 싸 둔다. 이렇게 몇 번 거듭한다.

④ 얇은 허물을 벗기고 참기름을 바른다.

⑤ 쓸 때는 5mm 두께로 썰어 마른 찬과 곁들여 담고 고추장에 찍어 먹는다.

생채와 숙채

도라지 생채

■ 재 료(5인분)

도라지	150g	오이	1개
고추장	2찻술	식초	1.5찻술
설탕	1찻술	파	2뿌리
마늘	1쪽	참기름	1찻술
고춧가루	2찻술	깨소금	1찻술

● 만드는 법

① 도라지는 소금에 주물러 빨아 꼭 짠다.

② 오이는 어슷하게 가지런히 썰어 소금에 절여 꼭 짠다.

③ 도라지와 오이를 고추장 양념으로 무친다.

겨자채

■ 재 료(5인분)

양배추	50g	미나리	1단
당근	30g	편육	50g
전복	100g	해삼	100g

밤	5개	배	반 개
실백	1찻술	소금	1큰술
겨자즙	조금		

● 만드는 법

① 겨자즙은 초 2큰술, 설탕 3큰술, 겨자 2큰술을 넣고 잘 개어 만든다.

② 양배추 · 미나리 · 오이 · 당근은 잘 씻어 채로 썬다.

③ 편육 · 전복 · 해삼 · 배는 4~5cm 길이, 1cm 두께로 납작하게 썬다.

④ 밤은 껍질을 벗겨 납작하게 썬다.

⑤ 위의 재료들에 겨자즙을 넣고 잘 버무린 다음 설탕 · 식초 · 소금을 넣고 다시 버무린다.

⑥ 접시에 시원하게 담고 위에 실백을 뿌린다.

취나물

■ 재 료(5인분)

취	200g	간장	2큰술
마늘	1쪽	깨소금	1큰술
쇠고기	50g	파	1뿌리
고추	반 개	후춧가루	1/4찻술
기름	1큰술	물	반 컵

● 만드는 법

취를 삶아서 물에 우려 쓴맛을 빼고 물기를 꼭 짠다.

고기는 곱게 다져서 양념하여 볶다가 고기가 익으면 취를 함께 넣고 다시 더 볶아서 간을 맞추고 깨소금을 뿌린다.

잡 채

■ 재 료

쇠고기	150g	전복	1개
돼지고기	100g	당면	50g
당근	1개	미나리(시금치)	1단
표고	1개	석이	3개
목이	5개	양파	2개

계란 ································· 1개   실백 ································· 1찻술

양념(간장 · 소금 · 후춧가루 · 깨소금 · 파 · 마늘 · 설탕 · 참기름)

● 만드는 법

① 당면은 끓는 물에 삶아 물기 없이 소쿠리에 건진다.

② 쇠고기와 돼지고기는 채로 썰어 양념하여 볶는다.

③ 전복은 얇게 저며 채로 썬다.

④ 당구 · 미나리는 채로 썰어 끓는 물에 소금을 조금 넣고 살짝 데친다.

⑤ 표고 · 석이 · 목이 · 양파는 채로 썰어 양념해 볶는다.

⑥ 계란은 흰자 · 노른자를 각각 지단을 부쳐 채로 썬다.

⑦ 위의 재료들을 당면과 함께 넓은 그릇에 넣고 양념하여 고루 무친다.

⑧ 접시에 담고, 계란 지단을 실백과 함께 위에 얹는다.

구절판

■ 재 료(5인분)

쇠고기	200g	전복(또는 죽순)	200g
당근	300g	표고(또는 송이)	5~6개
석이	20g	오이(또는 애호박)	2개
계란	2개	밀가루	2컵
물	3컵	소금	5찻술
설탕	3큰술	참기름	1.5큰술
후춧가루	1찻술	깨소금	3큰술
파	1뿌리	마늘	3쪽

겨자(물 · 설탕 · 식초 · 소금으로 갠 것)

● 만드는 법

① 쇠고기와 전복 · 표고 · 석이 등은 잘 씻어 가늘게 채썰어 양념(소금 · 간장 · 후춧가루 · 깨소금 · 참기름 · 파 · 마늘)하여 따로따로 볶는다.

② 애호박이나 오이는 껍질을 벗겨 가늘게 채썰어 소금을 뿌려 살짝 절인 다음 양념(후춧가루 · 잣가루 · 마늘 · 참기름)하여 살짝 볶는다.

③ 당근은 채썰어 소금물에 데친다.

④ 밀가루는 물에 풀어 밀전병을 얇게 부쳐 구절판 가운데에 담도록 종지 같은 것으로 둥글게 오린다.

⑤ 계란은 흰자 · 노른자를 갈라 지단을 부쳐 가늘

게 채썬다.

⑥ 위의 여러 가지들을 색깔을 맞추어 보기 좋게 구절판 그릇에 담고 가운데는 밀전병을 담는다.

⑦ 상에는 겨자와 함께 낸다.

김 치

우리나라 요리 중에서 김치는 조석으로 차리는 반상이나 큰 연회상 같은데 필연적으로 있어야 하는 것이다.

그리고 이 김치만은 가장 특수한 한국요리라고 할 수 있으며, 계절과 재료에 따라 조리법에도 여러 종류가 있다.

석박지(김장)

■ 재 료

무 ······························ 20개 　 배추 ······························ 20통

갓 · 미나리 · 배 · 밤 · 젓국 · 파 · 마늘 · 생강 · 청각 · 굴 · 고추

● 만드는 법

배추와 무를 썰어서 심심하게 절여 가지고 여러가지 양념을 넣고 버무려서 비늘김치를 사이사이 넣으면서 독에 담고 돌로 눌러서 젓국을 붓고 꼭 봉한다.

동치미

■ 재 료

무 ······················ 900g	오이 ······················ 5개
배 ······················ 2개	통고추 ······················ 4개
소금 ······················ 2컵	설탕 · 파 · 마늘 · 생강

● 만드는 법

① 무는 연하고 몸매가 고운 것으로 길이 3~4cm, 두께 1cm로 도톰하게 썰어서 절인다.

② 오이는 속씨가 생기지 않은 어린 것으로 무와 같은 크기로 썰어 소금을 조금 뿌려 둔다.

③ 배는 껍질을 벗기고 씨를 뺀 뒤 오이와 같은 크

144

기로 썬다.

④ 통고추의 씨를 뺀 다음 네 쪽으로 쪼개고 파는 길쭉길쭉하게 썰고 생강과 마늘은 얄팍하게 썬다.

⑤ 무와 오이 절인 것을 항아리에 담고 파·마늘·생강·배 등을 넣고 돌로 누른다.

⑥ 무를 절인 소금물에 물을 타고 소금과 설탕으로 간을 맞추어 김치 항아리에 붓고 봉해 둔다.

나박김치 -

■ 재 료

무	2개	미나리	1단
파	약간	생강	약간
실고추	약간	설탕	약간
소금	약간		

● 만드는 법

① 무는 네모지고 얄팍하게 썰어 소금에 절인다.

② 무가 절면 다른 그릇에 건져 담고 실고추·파·생강을 넣고 버무려 항아리에 담는다.

③ 따뜻한 물에 소금과 설탕을 풀어 간을 맞추고 붓는다.

④ 미나리는 김치가 다 익은 후에 깨끗이 씻어 소금물에 잠깐 담가 숨을 죽였다가 다시 물에 씻어 김치

항아리에 넣는다.

열무김치

■ 재 료

열무	10단	오이	5개
미나리	1단	고춧가루	조금
파	조금	마늘	조금
생강	조금	밀가루	조금
소금	조금		

● 만드는 법

① 열무와 미나리는 깨끗이 다듬어 3~4cm 길이로 썰어 소금에 절인다.

② 오이는 4토막으로 잘라 칼집을 내고 파·마늘·고춧가루 등으로 속을 넣는다.

③ 항아리에 열무 절인 것을 양념에 버무려 한 켜 넣고 그 위에 오이를 넣는다.

④ 열무와 오이를 항아리에 다 넣었으면 돌로 눌러 놓고 소금물을 풀어 밀가루 끓인 것을 섞고 체에 걸러서 항아리에 붓는다.

보쌈김치

■ 재 료

배추	10통	무	3개
낙지	3마리	표고	5개
밤	10개	실고추	1컵
파	10뿌리	마늘	2통
생강	1톨	배	3개
미나리	2단	갓	2단
실백	1/4컵	젓국	1컵
설탕	반 컵	소금	1컵

● 만드는 법

① 배추를 4cm 길이로 자르고 잎사귀는 떼어 따로 절인다.

② 무는 네모나게 납작납작하게 썰어 소금에 절인다.

③ 배는 무와 같이 썰고 미나리·갓은 4~5cm로 자르고 밤은 납작하게 썰고 파·마늘·생강은 채썬다.

④ 배추줄기와 무 절인 것을 여러가지 양념에 버무린다.

⑤ 낙지는 껍질을 벗겨 4cm 길이로 자른다.

⑥ 배추잎을 두 잎씩 펴서 놓고, 비무린 김치를 흰 보시기씩 놓고 잎사귀로 잘 싸서 김치독에 차곡차곡 담는다.

⑦ 김치국물은 소금물이나 젓국으로 간맞추어 붓는다.

배추 통김치(김장)

■ 재 료

배추	10통	무	5개
파	2단	미나리	2단
고춧가루	150g	실고추	150g
청각	300g	밤	1홉

148

| 배 | ⋯⋯⋯⋯⋯⋯⋯⋯⋯⋯⋯⋯ 2개 | 새우젓 | ⋯⋯⋯⋯⋯⋯⋯⋯⋯⋯⋯⋯ 1컵 |
| 소금 | ⋯⋯⋯⋯⋯⋯⋯⋯⋯⋯⋯⋯ 5컵 | | |

● 만드는 법

① 배추는 소금물에 절여서 하룻밤 두었다가 배추 속까지 완전히 절여 숨이 죽으면 깨끗이 씻어 물기를 뺀다.

② 무·미나리·갓 등은 채썰어 양념을 넣고 버무려 김치속을 만든다.

③ 밤과 배는 껍질을 벗겨 반은 납작하게 썰고 반은 채썰어 김치 속거리와 함께 섞는다.

④ 절여 놓은 배추의 줄기 사이사이에 속을 넣고 차곡차곡 독에 담고 우거지로 위를 덮는다.

⑤ 돌로 누른 다음 소금물을 붓는다.

오이소박이

■ 재 료

오이	10개	파	1뿌리
마늘	2쪽	생강	1쪽
고추	2개	물	2컵
소금			

● 만드는 법

① 오이는 소금으로 문질러 깨끗이 씻고 꼭지를 자른다. 5~6cm 길이로 잘라 양 끝을 2cm씩 남기고 열십자 또는 세 갈래로 쪼갠 다음 소금물에 절인다.

② 파·마늘·고추·오이를 곱게 다져 소금으로 간을 하고 오이 속에 넣는다.

③ 항아리에 차곡차곡 담고 열무나 배추를 절여 버무린 것을 위에 덮고 소금물을 슴슴하게 붓고 잘 덮어둔다.

화 채

화채는 사철을 통해서 반식상(飯食床)에는 꼭 있어야 하고 또 식사하고 난 뒤에는 반드시 요구되는 것이다.

화채는 그 계절마다 생산되는 새로운 과실을 사용하는데, 싱싱한 과일을 골라서 씨를 빼고 적절한 모양으로 썰어서 화채 그릇에 담고 오미자물이나 꿀물을 붓고 실백을 띄워서 낸다.

봄철에는 창면·화면·가련수정과·앵두화채가 좋고, 여름철에는 보리수단·미수·복숭아화채가 좋다. 가을철에는 유자화채·식혜·배화채가 좋고, 겨울에는 배숙·수정과·떡수단·원소병 같은 것이 좋다.

창 면(봄·여름)

■ 재 료(5인분)

녹말	1컵	설탕	1/3컵
꿀	2큰술	오미자	반 컵
물	2큰술	치자	1개
실백	1큰술		

● 만드는 법

① 오미자는 하룻밤 찬물에 우려내어 고운 체로 걸러 설탕을 넣고 끓여서 식은 후에 꿀을 탄다.

② 녹말은 3컵의 물에 타서 치자로 노랑물을 만들어 섞고 풀을 쑤듯 쑤어 네모반듯한 그릇에 쏟아 굳힌다.

③ 이것을 가늘게 썰어 오미자 물에 띄우고 실백도

함께 띄운다.

유자와 배화채(가을)

■ 재 료(5인분)

유자	1개	배	1개
설탕	2/3컵	물	1컵
실백	1큰술	석류	1/4개

● 만드는 법

① 유자는 껍질을 넷으로 갈라 도마에 엎어 눌러 놓고 칼을 눕혀서 얇게 뜬다. 겉의 노린 부분과 속의 흰 부분을 따로 하여 가늘게 채썰어 흐트러지지 않게 한다.

② 배는 3mm 두께로 크게 썰어 다시 채로 썬다. 색이 변하지 않도록 설탕을 조금씩 뿌려 둔다.

③ 유자 속은 깨끗이 실을 뜯어 길이를 둘로 자른다.

④ 화채 그릇에 배채와 유자채를 가지런히 돌려 담고 유자 주머니도 사이사이에 끼워 석류 5~6알·실백 5~6개를 넣고 진하게 탄 설탕물을 옆으로 부어 건더기가 가만히 떠오르게 한다.

⑤ 유자의 신맛이 잘 우러난 다음에 마신다.

식 혜

■ 재 료(10인분)

멥쌀	1컵
엿기름	반 컵
설탕	반 컵
물	10컵
실백	1큰술
생강	1쪽
유자	1/4개
석류	1/4개

● 만드는 법

① 식혜밥은 고슬고슬하게 짓는다.

② 엿기름을 물에 타서 걸러 뽀얀 물을 뜨거운 밥에 버무려 따뜻한 곳에 뚜껑을 덮고 삭히면 밥풀이 3~4시간 후에 동동 뜬다.

③ 이것을 서늘한 곳에 옮기고 밥알만 찬 물에 헹구어 건진다.

④ 식혜물을 헹군 물과 한데 섞어서 설탕을 넣어 끓인 다음 차게 식힌다.

⑤ 식혜물에다 생강즙을 조금 넣고 유자를 얇게 저 며 띄우고 석류알 5~6개와 실백을 몇 개 띄우고 건져

놓았던 밥알을 적당히 띄운다.

수정과(겨울)

■ 재 료

곶감	10개
생강	50g
설탕	2/3컵
통계피	1개
통후추	1큰술
실백 ·········· 1큰술	물 ·········· 10컵

● 만드는 법

① 생강은 씻어 얄팍하게 썰고 물을 부어 끓인 다음 체에 거른다.

② 여기에 설탕을 넣고 다시 끓인 다음 항아리에 붓는다.

③ 곶감은 씨를 빼고 생강 달인 물에 담가 서늘한 곳에 둔다.

④ 화채 그릇에 곶감을 두 개씩 담고, 생강 국물을 붓고 실백을 띄운다.

⑤ 생강물을 끓일 때에 통계피와 통후추를 넣어 매운 맛이 나게 하면 더욱 맛이 있다.

떡

백설기

■ 재 료

쌀	15컵	밤	10개
석이	6개	실백	2큰술
대추	10개	백설탕	300g
백지	2장	기름	1큰술

● 만드는 법

① 쌀 15컵을 물에 불려 깨끗이 씻어 건졌다가 가루

로 만든다.

② 쌀가루와 백설탕을 섞어 체에 거르고 석이는 끓는 물에 익혀 씻은 다음 채로 썬다.

③ 밤은 속껍질을 벗겨 얄팍하게 썰고 대추는 씨를 빼고, 큰 것은 다섯, 작은 것은 셋으로 쪼갠다. 실백은 속껍질을 벗겨 두 쪽으로 가른다.

④ 물은 시루에 앉힐 때는 솥의 반, 찜통에 찔 때는 솥의 붓는 선까지 붓는다.

⑤ 켜 사이에 넣을 기름종이를 칸막이로 하고 그 위에 쌀가루를 얹어 편편하게 한다.

⑥ 고명은 줄과 색을 맞추어 마음대로 놓는다.

⑦ 고명을 다 넣고 나중에 식이 채썬 깃을 약간 뿌리고 다시 기름 종이를 덮고 또 가루를 뿌려 위와 같은 순서를 반복하여 여섯 켜로 만든다.

⑧ 불에 올려 놓아 김이 단번에 오르게 찐다.

찰시루떡(찰편)

● 만드는 법

① 찹쌀 가루에 콩 · 대추 · 밤 · 호박 · 곶감 · 귤병 등을 섞어 떡켜를 뿌리고 찐다.

② 겉의 고물은 팥 · 거피한 녹두 · 청대콩 등으로 하며 켜는 손가락 한 마디 반 정도면 된다.

인절미

■ 재 료

찹쌀	20컵	소금	3큰술
물	1컵	팥고물	3컵

● 만드는 법

① 찹쌀을 깨끗이 씻어 일은 다음 물에 담가 불린다.

② 불린 찹쌀을 소쿠리에 건져 물기를 빼고 찜통이나 시루에 넣어 찌는데 중간에 소금물을 뿌린다.

③ 이것을 절구에 넣고 찧거나 베보자기에 싸서 떡판에 넣고 대강 친 다음 보는 꺼내고 소금물을 손과 떡메에 발라 가며 친다.

④ 이것을 고물을 편 도마에 옮겨 놓고 눌러 1cm 두께로 편다. 이것을 다시 가로 3.5cm, 세로 5cm로 네모나게 잘라 고물을 묻힌다.

⑤ 쑥을 파랗게 삶아 꼭 짜서 밥을 칠 때 같이 찧으면 쑥인절미가 된다.

약 식

■ 재 료

찹쌀	5컵	밤	20개
대추	1컵	흰설탕	1.5컵
황설탕	1.5컵	꿀	1/4컵
참기름	1큰술	간장	2큰술
실백	반 컵	계피가루	1찻술

● 만드는 법

① 찹쌀을 씻어 일어 물에 흠뻑 불려 하룻밤 재웠다 건진다.

② 시루에 베보자기를 깔고 찹쌀을 넣어 김이 오르도록 불을 땐다. 김이 오르면 나무 주걱으로 뒤적여 빨리 익도록 한다.

③ 찹쌀이 쪄지는 동안 밤을 껍질째 설익도록 삶아 차게 식혀서 속껍질까지 벗긴 다음 두 쪽이나 네 쪽으로 쪼갠다.

④ 대추는 씨를 발라 물을 조금 붓고 푹 끓여서 거르고 대추살은 두 쪽이나 네 쪽으로 썬다.

⑤ 큰 그릇에 찹쌀을 쏟아 붓고 나무 주걱으로 헤치면서 대추씨 걸러 놓은 물·진간장·꿀·설탕을 넣어가며 골고루 버무린다.

⑥ 다음에 여기에다 대추를 골고루 뿌리고 참기름을 넣어 버무린다.

⑦ 이것을 알맞는 그릇에 옮기고 밤을 섞어 넣고 앉힌다. (오지그릇이 중탕하는 데 가장 적당하다.)

⑧ 큰 솥에 물을 붓고 오지그릇을 들여 앉힌다. 처음 2~3시간은 강한 불로 중탕하고 5~6시간 중간불로 은근하게 김을 낸다.

⑨ 합에 풀 때 계피가루를 조금씩 뿌리고 잣을 보기좋게 얹는다.

장과 고추장

기본 조미료 중에서 가장 중요한 장을 담가 두는 곳이 장고이며, 민가에서는 장광이라 하여 정결하게 관리하는 곳이다.

장독은 우리가 흔히 보는 배가 부른 둥근 독이 아니고 말뚝항아리라는 아래로 내려가며 홀쭉해지는 새우젓독 같은 것이다. 넓은 전이 달렸고 유약을 바르지

않아 회색빛이 나는 키가 1m가 넘는 것이다. 독 밑에
는 든든한 판석을 깔고 나란히 열을 지어 놓았는데 장
담그는 연대순으로 장의 이름이 다르다.

진장(眞醬)·중장·묽은 장(淸醬)·고추장·된장
등으로 열을 지어 수십 개가 잘 정돈된다.

진 장

진장은 절메주라는 것으로 담는데, 이 메주는 음력
4월에 검정콩을 푹 삶아서 절구에 찧어 모가 지게 만
들어 풀을 베어 깔고 덮고 하여 단시일에 까맣게 띄우
는 메주이다.

● 만드는 법

① 5월 초에 메주를 깨끗이 씻어 말려 네 쪽으로 쪼갠다.

② 소금물은 다른 큰 독에 시루를 앉히고 소금을 넣고 물을 퍼부어 간국을 내리는데, 물 한 동이에 소금 3되를 풀고 콩 1말로 쑨 메주에 소금 4말을 잡는다.

③ 장을 담을 큰 독에 꿀 3숟가락과 참기름 3숟가락을 떠넣고 빨갛게 피운 백탄 덩어리를 5~6개 넣어 꿀과 기름이 타는 냄새와 연기가 독에 서리게 한 다음 소금물을 한 바가지 퍼붓고 메주 덩어리를 독바닥의 1/3정도까지 차곡차곡 채워 넣는다.

④ 그 다음부터는 장독 안 둘레로 우물 정(井) 자로 쌓아 올려 독전까지 가득하게 쌓는다.

⑤ 여기에다 풀어 놓았던 소금물을 겹체로 걸러 가득 부어 한 이레 동안 소금물이 메주에 스며들게 한다.

⑥ 그 다음에는 소금물을 떠내고 가장자리로 쌓은 메주를 다시 쌓는데, 사이사이의 구멍은 작은 메주덩이로 메우거나 집메주 된장을 양회 바르듯 발라 고정시킨다.

⑦ 맨 위에는 된장을 한번 발라 입히고 소금을 하얗게 뿌린 후 다시 떠낸 소금물을 붓는다.

⑧ 그 후에는 개인 날은 매일 볕을 보이고, 5월 초부터 6월 20일 경까지 장이 우러나게 둔다.

⑨ 이것을 가만히 떠내서 딴 독에 옮긴 다음 2차로 소금물을 부어 10월까지 우려서 다시 뜨면 중장(진장과 묽은장의 사이)이 된다.

한편 독전에 장물을 항시 채우는데, 이 절메주 된장은 색이 까맣고 맛이 이상하여 독을 비울 때면 먹지 않고 퍼 버렸다고 한다.

절메주 된장은 1년에 한두 번 조치를 만드는데, 이것을 절미 된장이라고 하여 수라상에 올렸다고 한다. 진장은 끈적거리고 빛이 까맣고 약식이나 전복초에 쓰면 달고 가무스름하게 윤이 난다.

중장 · 묽은장

중간장은 보통 음식에 많이 쓰이며 일반 집메주로 쓴다.

집메주는 음력 10월이나 동짓달에 흰콩으로 쑤어서 찧어 목침 모양으로 만들어 꾸덕꾸덕 마르면 메주 사이에 볏짚을 넣어 훈훈한 온돌방에서 띄우거나 짚으로 둘씩 엮어 매달고 겨우내 띄우기도 한다.

● 만드는 법
① 소금물은 물 1말에 소금 2되 정도면 되나 날씨가 더우면 소금의 분량을 조금 늘인다.
② 소금물을 독에 붓고 메주덩이를 듬성듬성 넣은

162

후 40일쯤 지나면 장이 우러난다.

③ 이때 메주를 건져 으깨면 노랗고 맛이 있는 된장이 된다.

④ 간장은 고운 체에 걸러 다른 독에 가득 채우고 부지런히 볕을 쪼인다.

메주 담그는 법은 정월에 담그는 소금물은 물 1말에 소금 2되면 된다. 일기가 더워질수록 소금의 분량을 늘여야 장맛이 변치 않는다.

순서는 소금물을 붓고 메주덩이를 듬성듬성 넣은 후 40일쯤 되면 장이 맛있게 우러난다. 이때 메주를 건져서 으깨면 노랗고 맛있는 된장을 얻게 된다. 간장은 고운 체에 받여 다른 독에 가득히 채우고 볕을 부지런히 쬔다.

찹쌀 고추장

고추장 메주는 떡을 박아 떡메주로 하는 법도 있고, 집메주 가루로 하는 때도 많다.

● 만드는 법
① 메주가루를 볕에 말려 놓고 찹쌀을 물에 담갔다가 빻아 고운 가루로 만든다.

② 이 가루를 끓는 물로 반죽하여 손바닥만하게 반대기를 지어 끓는 물에 삶아 건진다.

③ 건져낸 반대기를 자배기에 담고 떡 삶던 물을 부으면서 큰 방망이로 저어서 멍우리를 푼다. 이것을 베보자기로 덮어 따뜻한 곳에서 하룻밤 재운다.

④ 찹쌀떡이 다 삭으면 메주가루를 넣고 꿀이나 조청을 넣어 달게 한다.

⑤ 메주가루를 넣어 떡이 삭은 다음에 소금이나 장으로 간을 맞춘다.

고추장은 작은 항아리에 나누어 담고 방망이를 하나씩 꽂아 놓고 매일 잘 저어서 고루 익게 한다. 초고추장과 붉은 고추장을 만들어 조치에 맵지 않게 푼다.

양 념

꿀 : 옛부터 쓰이던 감미료의 으뜸으로 약재로도 쓰이고

유밀과 만드는 데도 쓴다.

엿·조청 : 민간에서 들여와 꿀을 대신해서 쓴다.

설탕 : 고려 말에 원나라에서 수입하였다는 기록이 있으나, 조선 시대에는 궁이나 귀족 사이에 널리 보급되었다.

식초 : 술로 담근 양조초를 쓴다.

고추 : 여름에는 다홍고추를 이겨서 쓴다.

후추 : 고려 때 원나라 유구(琉球)에서 수입한 기록이 있다.

겨자 : 갓씨를 멥쌀 조금과 같이 물에 불려 풀매에 곱게 갈아 따뜻한 데 두었다가 매운 맛이 나면 식초·소금·설탕으로 간을 맞춘다.

깨소금 : 참깨를 씻어 절구에 넣고 껍질을 벗겨서 하얗게 볶아 빻고 여기에 소금을 섞어 쓴다.

기름 : 참깨로 짠 참기름만을 쓴다.

이같은 양념들은 모두 한방에서 약재로 쓰는 것으로 병치료에 효과가 있는 것을 음식에 적절하게 배합시켜서 그 맛과 향이 더욱 훌륭하게 만들어진 것이다. 병이 나서 식이요법을 하는 것보다 더 현명하다. 양념이라면 기본 조미료를 비롯하여 파·마늘·생강·방아잎·산초·천초·고추 등 매우 다양하다. 이것을 식품에 따라 그 종류와 분량을 달리하여 갖가지 음식 맛을 달리한다.

각 식품의 양념

쇠고기 : 구이 · 볶음 등 국물이 없는 조리법에는 파 · 마늘 · 후추 · 설탕 · 깨소금 · 간장을 쓰고, 국에는 설탕을 빼고, 포는 간장 · 설탕 · 후추만 쓴다.

돼지고기 : 쇠고기와 같지만 거기에다 새우젓국(제육) · 고추장 · 생강이 더 들어간다.

닭고기 : 보통 소금으로 간하나 간장 · 새우젓국도 쓴다. 백숙에는 소금 · 후추만을 쓴다.

생선 : 특히 생강 · 고추장 · 고춧가루를 많이 쓰며, 조림 · 구이에는 설탕을 쓰나 국 · 찌개에는 넣지 않는다.

버섯 : 대게 고기와 함께 쓰므로 간장 · 참기름 · 깨소금 · 설탕을 쓴다.

나물 : 숙채(熟菜)는 소금 · 간장 · 고추장 · 파 · 마늘 · 깨소금 · 참기름을 쓰고, 생채(生菜)는 소금 · 식초 · 설탕 · 겨자를 쓴다.

고 명

모든 음식의 모양과 빛을 아름답게 해서 식욕을 돋우는 역할을 하는 것이다. 고명 또는 웃기 · 꾸미라고 한다. 간혹 양념과 고명을 혼동하여 말하는 사람이 많다.

잣가루 · 실고추 · 버섯 · 깨소금 · 고춧가루 등은 음

166

식에 섞거나 음식을 담고 위에 뿌리고 알지단이나 봉오리(완자) 등은 웃기로 쓴다. 음식 맛이나 간을 좌우하는 양념과 쌍벽을 이루는 것이다. 고명을 만드는 방법과 고명과 양념 쓰는 방법은 다음과 같다.

알고명 : 달걀의 흰자·노른자를 갈라 얇고 곱게 부쳐서 채 썰기도 하고 동그란 모양이나 장방형으로 썰어 색과 모양을 낸다.

알 쌈 : 달걀을 풀고 쇠고기를 곱게 다져 반달 모양으로 지진다.

봉오리 : 고기를 다져 소금으로 양념해서 콩알만큼씩 빚어 밀가루와 달걀을 씌워 기름냄비에 둥글둥글하게 지져 신선로·전골·찜의 꾸미로 얹는다.

미나리 고명 : 미나리대를 4~5cm로 썰어 소금에 절였다가 참기름으로 살짝 볶아서 쓴다.

마늘 고명 : 특수한 김치나 볶음·냉국 등에는 채로 썰고, 동치미·보쌈김치 등에는 납작하고 얇게 썰어서 쓴다.

다홍고추 : 나물·조림에는 채로 쓰고, 고명으로는 길쭉길쭉하게 썰고, 김치·깍두기에는 곱게 이겨서 쓴다.

버섯 고명 : 표고·목이·석이·느타리 등을 물에 불려 찜·탕·신선로·전골·나물에 주재료와 함께 쓰고 고명 노릇도 한다.

잣 : 실백·백자 등으로 부르며, 통잣·비늘잣(얇게 썬다)·잣가루(마른 종이에 놓고 칼로 잘게 썬다) 등을 각색 음식에 쓴다.

167

가루 만드는 법

밀가루(옛날엔 진말) · 메밀가루(蕎麥粉) · 녹말(綠末) · 당귀말(當歸末) · 계피말(桂皮末) 등 각색 가루를 많이 쓰는데, 소주방(燒廚房)에서 직접 만드는 것은 아니다. 그 중 몇 가지 만드는 법은 다음과 같다.

녹 말

녹두의 녹말인데, 궁에서는 〈녹만〉이라고 발음하고, 어채(魚菜 : 熱飼) · 청면(淸麵) · 어만두 · 녹말다식 등에 꼭 쓰인다. 지금 흔히 쓰는 감자나 고구마 녹말과는 하늘과 땅 차이가 있고, 아주 비싸다. 요즈음 〈가다가루〉라는 것을 녹말이라는 말 대신 쓰는 것 같은데 이는 일본말이다.

녹말을 만드는 시기는 봄에 나뭇잎이 피어나기 전에 녹말을 만들어야 삭지 않고 양이 많이 난다.

은 그릇에다 짠다. 다 짜낸 물을 가라앉혀서 하룻밤 재우면 녹말이 밑에 가라앉고 윗물이 맑아지는데 이 윗물은 딸아버리고 한지를 위에 덮고 나머지 물도 빨아들이게 한다.

그 다음에 대발에 한지를 깔고 앙금을 숟가락으로

떠내 널어서 바짝 말린 후 이것을 곱게 빻아 두고 쓴다.

녹말에 물을 타서 쑤면 제물묵이 되고 치자로 물들이면 노랑묵이 된다.

당귀말

당귀(當歸)라는 약초의 잎을 말려 가루로 만들어 다식등에 쓴다.

계피가루

중국에서 수입하여 썼는데 곱게 가루로 만들어 수정과·다식·단자에 쓰고 생강물로 수정과를 담글 때에는 통계피를 쓴다.

젓 갈

김치나 찌개에도 쓰고 반상에 오르는 갖가지 젓갈은 각지에서 진상품으로 들어오게 된다.

조기젓

5~6월에 담가 김장 때 젓국을 많이 넣는 젓국지
(배추통김치)를 담그는 데 쓴다.

새우젓

육젓을 구하여 젓국조치(찌개)에 쓰고 사철 김치에
간으로 쓴다.
특히 한겨울에 잡는 백하(白蝦)로는 젓을 삼삼하게
담가 머리와 꼬리를 떼고 수라상에 올린다.

과일주 담그기

포도주

■ 재 료

포도(알을 딴 것) ·············· 5관   설탕 ······························· 1관
소주 ······························· 1.8*l*

● 만드는 법

① 포도는 알을 따서 깨끗이 씻어 주둥이가 넓은 병에다 설탕과 켜켜로 7부까지 넣는다.

② 여기에 2부쯤 술을 넣고 오랫동안 놓아 둔다. 이때에는 헝겊을 말아서 마개로 쓴다.

③ 보름에 한 번씩 막대기로 휘젓는다.

④ 두 달 후에 헝겊으로 거르는데 처음에는 한 겹으로, 다음에는 두 겹으로 걸러 한 달 동안 놓아 둔다.

⑤ 병 밑에 앙금이 가라앉으면 이것을 다시 걸러 깨끗한 병에 넣고 오래 두어도 좋다.

딸기술

■ 재 료

딸기 ······························· 1kg   설탕 ····················· 500~600g

소주 ································· 1.8*l*

● 만드는 법

① 딸기를 상처가 나지 않게 씻어 물기를 뺀 다음 꼭지를 딴다.

② 이것을 설탕과 켜켜이 병에 넣고 소주를 붓는다.

③ 하루에 3～4회씩 잘 저어 가면서 발효시킨다. 1개월 후엔 먹을 수 있다.

복숭아술

■ 재 료

복숭아(수밀도) ··············· 15개   설탕 ···························· 15큰술
소금 ································· 조금

● 만드는 법

① 복숭아는 깨끗이 씻어 씨를 빼고 껍질째 짓이겨 풀어지게 한다.

② 여기에 설탕과 소금을 넣어 항아리에 담고 꼭 봉한다.

③ 4～5일 후에 발효가 되어 물이 괴면 웃물만 따라 끓여 식힌 후 소독한 병에 담아 봉한다.

④ 남은 찌꺼기는 다시 물을 조금 부어 체에 걸러서 쓴다.

구기자술

■ 재 료

구기자	400g	설탕	500g
소주	1.8*l*		

● 만드는 법

① 구기자를 씻어 주머니에 넣어 병에 넣고, 설탕과 소주를 넣는다.

② 2개월쯤 밀봉해 두면 걸쭉한 적갈색의 술이 생긴다. 완전히 건조된 한약제의 구기자는 설탕을 넣지 말고 3개월 동안 저장한다.

돼지콩팥 편육

■ 재 료

돼지콩팥	3개	닭뼈국물	1/2컵
생강	2톨	파	1뿌리
산초	1큰술	계피	2찻술
마늘	3쪽		

● 만드는 법

① 돼지콩팥을 30분 정도 물에 삶는다.

② 다른 냄비에 돼지콩팥 삶은 국물과 간장 1큰술·
술 1큰술·생강·마늘과 파를 썰어 넣는다.

이때 산초와 계피는 딴 주머니에 넣어 준다.

③ 이 국물에 다시 콩팥을 넣어 조린다.

④ 국물이 다 졸으면 건져서 국화처럼 얇게 썰어서
접시에 담고, 국물을 약간 끼얹어 낸다.

빈대떡

■ 재 료

녹두	5홉	샐러드 기름	1.5컵
냉동새우	1.5컵	생강즙	2큰술
파채	조금	소금	3큰술
후추	1찻술	마늘	5쪽

174

화학조미료

● 만드는 법

① 녹두는 맷돌에 타서 물에 담가 불은 후에 껍질을
벗기고, 돌을 일은 다음 믹서나 맷돌에 조금 묽은 듯
하게 간다.

② 새우는 찬물에 담가 얼음을 뺀 후에 마른 행주에
눌러 물기를 빼고 곱게 칼로 다져 생강즙 · 후춧가루
· 소금 · 화학조미료를 넣고 파 · 마늘을 곱게 다져 무
쳐 놓는다.

③ 파는 채썰어 놓고 녹두 갈아 둔 것과 양념한 새
우를 섞어서 부친다.

④ 또는 녹두 간 것을 작은 국자로 한 국자를 기름
두른 프라이팬에 놓고 그 위에 양념한 새우와 파채를
얹고 다시 녹두 간 것으로 뚜껑을 덮어 붙이기도 한다.

닭조림 별법

■ 재 료

닭	1마리	표고	5잎
파	1뿌리	마늘	3쪽
생강	2쪽	간장	3큰술
참기름	1큰술	술	2큰술
설탕	2큰술		

● 만드는 법

① 닭은 피를 빼어 잘 잡은 후 씻고, 발목으로 칼을 넣어 힘줄을 빼고, 관절마다 잘라서 토막을 친다.

② 닭 토막을 간장에 잠시 담그었다가 고온의 기름에 튀긴 다음 파를 4cm 길이로 썰고, 표고는 반 쪽으로 썬다.

③ 파를 냄비에 볶은 다음 표고버섯을 넣고 그 위에 간장·파·마늘·생강즙·술·설탕을 넣어 무친 후 표고버섯 위에 얹어 다시 조린다.

④ 녹말가루를 물에 타서 넣고 다 익으면 닭기름 끓여 둔 것을 한두 방울 친다.

⑤ 접시 밑에는 표고와 파를 남고 그 위에 닭을 남는데, 날개와 다리가 위 쪽으로 오도록 담는다.

튀김 모듬

■ 재 료

오징어	1마리	패주	2개
새우	10마리	생선	2마리
밀가루	반 컵	계란	5개
빵가루	3컵	카레가루	반 컵
기름			

● 만드는 법

① 패주(조개 관자)는 깨끗이 씻은 후 큰 것은 8등분하고 작은 것은 4등분하여 소금·후추를 뿌려 둔다. 밀가루·계란을 묻히고 빵가루를 묻혀서 기름에 빛깔 곱게 튀겨 낸다.

② 오징어는 잘 씻어서 껍질은 둥근 채로 제거한 후에 원형으로 썰어서 소금·후추를 뿌린 후 밀가루에 카레가루를 섞어서 ①번과 같이 튀겨 낸다.

③ 새우는 꼬리는 두고 다듬어 씻어서 소금·후추를 뿌린 다음 물기 없는 그릇에 계란흰자를 거품 친 것과 물·밀가루를 섞은 것으로 옷을 입혀 기름에 살짝 튀겨 낸다.

④ 흰살 생선은 3cm 정도로 잘라 내장을 제거하고 소금·후추를 뿌린 후 밀가루·계란을 푼 것을 묻혀 기름에 튀겨 접시에 담아 낸다.

평양 요리

물냉면

■ 재 료

		냉면 생국수	1kg
		냉면육수	적당량
		돼지 양지머리	250g
		쇠고기 사태	250g
		닭	1/2마리
		꿩	1/2마리
무	1/4개	파	5개(굵고 흰부분)
마늘	6쪽	후춧가루	1/2작은술, 소금
사과	반쪽	동치미국물	적당량
진간장	2큰술		

◆고 명

무절임	무 1/4개	식초	1큰술, 소금
다진 마늘	적당량	생강즙	적당량
설탕	조금	달걀노른자	2개
식물성기름	적당량	오이	1개
배	반 쪽	편육	200g
고춧가루	적당량	삶은 달걀	1개
대파 · 간장	적당량	진강장	1/4컵

| 다진파 ················· 2큰술 | 통깨 ················· 1큰술 |

● 만드는 법

① 쇠고기, 돼지고기, 닭고기, 꿩고기 등 네 가지를 찬물에 40분 가량 담가서 핏물을 모두 뺀 다음 고기를 푹 고아 진한 육수를 낸다.

② 고기 육수가 울어나면 통생강과 통마늘을 넣어 누린내를 없앤다. 고기를 건지기 전에 소금을 조금 넣어 간을 연하게 하면 냄새가 안 나서 고기맛이 좋다.

③ 닭고기가 익으면 제일 먼저 건져내고 좀 더 끓인 뒤 꿩고기를 건져낸다. 꿩고기를 건져 낸 뒤 더 끓여 돼지고기를 건지고 마지막에 쇠고기를 건져낸다. 통생강, 통마늘도 함께 건지고 고기는 너무 오래 삶지 말고 익었다 싶으면 빨리 건진다.

○ 조리 포인트

야채를 큼직하게 잘라 육수에 넣어 맛을 낸다. 진간 장으로 색을 낸다. 육수의 기름기를 없애고 차가운 곳에서 빨리 식힌다.

온 반

■ 재 료

| 밥 ················· 4그릇 | 녹두 ················· 1컵 |

실파	3뿌리		
달걀	2개		
잣	1큰술		
실고추	적당량		
식물성기름	적당량		
소금·국간장	적당량		

◆고기장국

양지머리	300g	무	200g
물	15컵	파	1대
마늘	6쪽	청장	적당량

◆양지머리 양념

소금	1작은술	맑은 국간장	1작은술
파(다진것)	2큰술	마늘(다진것)	1작은술
후춧가루	적당량		

● 만드는 법

① 팔팔 끓는 물에 양지머리와 큼직하게 썬 무를 넣고 통마늘과 굵은 파잎을 넣어 끓인다. 끓어오르면 거품을 걷어내고 푹 무르도록 고아 건진 뒤 한 입 크기로 얇게 한다.

② 녹두는 충분히 불려 껍질을 벗겨내고 달걀은 황백으로 나눠서 지단을 부친다. 황백지단을 5cm 길이로 가늘다랗게 채썬다.

③ 고기를 양념해서 다시 끓인 뒤 밥에 붓고 준비한

180

고명을 위에 얹는다.

○ 조리 포인트

평양 온반은 맵지 않은 장국밥으로 녹두지짐을 얹어내는 것이 특징이다. 갈은 녹두에다 실파를 다져넣고 소금으로 간하여 기름친 팬에 한 숟갈씩 떠서 넣는다. 둥글게 썬 붉은 고추를 하나씩 고명으로 얹어 노릇노릇하게 지져 장국밥에 넣으면 더욱 맛이 좋다.

어복 쟁반

■ 재 료

메밀국수	150g	만두	10개
떡(썰은 것)	100g	삶은 달걀	1개
느타리 버섯	10개	배	1개
굵은 파	2개	은행	10알
당근	1/2개		

◆육수

쇠고기(양지머리)	600g	굵은 파	1개
마늘	1통	청주	2큰술
물	적당량		

◆양념장

진간장	2큰술	파(다진 것)	2작은술
마늘(다진 것)	1작은술	참기름	1작은술

후춧가루 ························· 적당량   식초 ······························· 1큰술

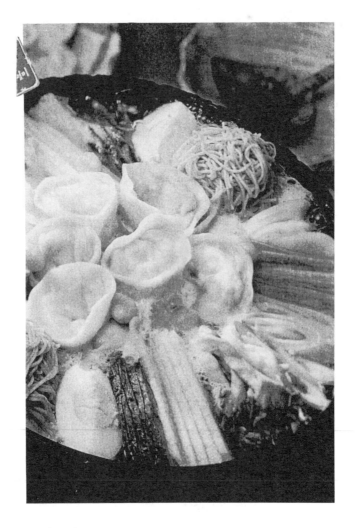

● 만드는 법

  ① 양지머리를 푹 삶아, 육수는 체에 거즈를 깔고
받치거나 식혀서 굳기름을 걷어낸다. 고기는 건져 식

힌 다음 2.5cm 폭 6cm로 얄팍하게 썬다.

② 느타리 버섯(표고 버섯도 좋다)은 손으로 대강 찢는다. 굵은 파는 길게 썰고 배와 당근은 고기 크기로 썬다. 은행잎은 팬에 파랗게 볶아 종이 타월에 비벼 껍질을 벗긴다. 달걀은 16분 정도 완숙으로 삶아 껍질 벗겨 4등분 낸다.

③ 끓는 물에 메밀국수를 삶아 찬물에 행군 뒤 소쿠리에 건져 물기를 뺀다. 끓는 물에 만두를 삶아서 준비하고 떡은 끓는 물에 데친다.

④ 편육과 배, 느타리 버섯, 파, 당근, 흰떡, 삶은 달걀, 국수사리를 담고, 복판에 만두를 넣는다. 국간장, 소금으로 간한 다음 뜨거운 육수를 붓고 은행알로 장식하여 팔팔 끓인다. 양념장 재료를 골고루 섞어 곁들인다.

○ 조리 포인트

양지머리를 솥에 담고 적당량의 물을 붓는다. 굵은 파를 서너번 잘라 넣고, 청주와 통마늘을 넣어 펄펄 끓이면 고기의 누린내가 없어진다. 끓어 오르면 거품을 제거하고 불을 줄여 1시간 반 이상 잘 삶아 육수를 만든다. 어복쟁반은 끓이면서 먹는 요리이므로 먹다가 보충할 수 있도록 육수를 충분히 준비해 두는 것이 좋다.

살림의 지혜

식생활

▨ 쌀과 보리쌀을 보관하는 법

쌀을 가마니로 들여놓고 먹을 때는 가마니를 비워서 독 속에 보관하는 것보다는 가마니째로 통풍이 잘 되는 곳에 놓아 두는 것이 좋다. 또는 쌀 속에 마늘 몇 쪽을 넣어두면 벌레가 생기지 않는다. 그리고 보리쌀에는 싱싱한 복숭아나 무잎을 구해서 속에 넣어두면 안전하다.

▨ 보리 저장하는 방법

보리를 농가에서 보관하다 보면 벌레 또는 썩는 수가 많다. 그러나 방충제를 안전한 방법으로 한쪽 구석에 매달아 두든가 또는 소금을 조금씩 섞은 다음 가마니에 두면 완전하다.

▨ 쌀에 벌레가 생기지 않게 하는 비결

쌀가마니를 소금가마니로 덮으면 벌레가 생기지 않는다. 또는 쌀독 밑에 묵은 마늘을 묻어 두어도 생기지 않는다.

�֎ 된밥과 진밥을 한 솥에서 동시에 하는 방법

많은 가족 가운데, 된밥을 좋아하는 분과 진밥을 좋아하는 분이 있으면 쌀을 솥에 안칠 때 솥 한 쪽으로 쌀을 몰아서 쌀의 일부가 물 위에 나오도록 해서 안친다. 그러면 물에 잠긴 부분은 진밥이 되고, 물 위에 나온 부분은 된밥이 되어서 동시에 가족들의 두 가지 구미를 맞출 수 있어서 즐거운 식사를 할 수 있다.

✖ 바닷물로 밥짓는 비결

솥 속에 대접을 엎어 놓고 쌀을 넣은 다음에 바닷물을 부어 밥을 지으면 짠기는 대접 속으로 들어가 밥은 짠맛이 없어진다.

✖ 밥 탄 냄새를 안 나게 하는 법

밥이 타게 되면 밥 전체에 퍼지게 되는데 이런 때는 깨끗한 종이나 헌 냄비뚜껑 또는 주걱 같은 것을 밥 위에다 놓고 거기에 큰 숯덩어리를 한두 개 얹어 놓은 다음에 솥뚜껑을 닫아 두고 얼마쯤 지나면 탄 냄새는 깨끗이 없어진다.

✖ 밥과 죽을 한솥에서 동시에 만들려면

가정에 아기나 환자가 있을 때는 밥도 지어야 하고, 미움도 따로 끓여야 하는 번거로움이 있는데, 이럴 때는 밥솥에 밥알이 넘어 들어가지 않을 정도의 높이로

185

빈 공기를 하나 올려 놓으면 밥이 다 지어졌을 때 공기 속에도 미음이 한 그릇 담겨 있게 된다. 다만 밥물을 평상시보다 조금 더 부어야 한다.

✖ 밥이 설었을 때는
밥이 설었을 때는 뜨거운 물을 조금 붓고 약한 불로 잠시 쪄도 된다. 그러나 당장 뜨거운 물이 없을 때에는 정종을 찻숟갈로 서너 숟가락을 선밥 위에 뿌리고 다시 찌면 감쪽같이 밥이 익는다.

✖ 밥을 쉬지 않게 하는 법
밥을 지을 때 아예 식초 두어 숟가락을 넣어서 지으면 입맛을 돋우어 주는 역할도 하고 쉴 염려도 없다.

✖ 찹쌀죽의 효과는?
산후에 젖이 잘 나오지 않아 애먹을 때에는 찹쌀로 죽을 쑤어 먹거나 찹쌀을 넣고 끓인 된장국을 먹으면 젖이 잘 나오게 된다. 또 위와 장이 나빠서 설사를 할 때에도 찹쌀죽을 쑤어 먹으면 아주 신기할 정도로 잘 낫는다. 찹쌀에는 비타민 A와 B가 풍부하기 때문에 비타민 A·B의 보충용으로도 좋은 식품이 되는 것이다.

✖ 떡쌀을 물 속에 담그는 시간은
대개 떡쌀을 밤에 담가 두었다가 아침에 찧는 경우

가 많다. 그러나 너무 오래 담가 놓는 것은 좋지 않다. 쌀이 물을 빨아들이는 속도는 처음 5분 동안에 10%, 1시간 뒤에 80%가 된다. 그래서 3시간이 넘으면 쌀은 더 이상 물기를 흡수하지 않게 된다.

✖ 쌀의 뭇내를 없애는 방법

아침밥 지을 쌀을 전날 저녁에 미리 꺼내 식초 한 방울을 떨군 물에 그 쌀을 담갔다가 씻어서 소쿠리에 밭쳐 물기를 빼놓는다. 다음날 아침, 밥을 지을 때 한 번 더 미지근한 물로 헹군 후 밥을 지으면 전혀 뭇내가 나지 않는다.

✖ 밀가루 혼합 송편을 만드는 방법

쌀가루와 밀가루를 고루 섞어서 체로 쳐서 덩어리를 없앤 다음 펄펄 끓는 뜨거운 물로 반죽을 한다. 그래야 밀가루로 인해서 약해지는 쫄깃쫄깃한 맛을 지닐 수가 있다. 그리고 밀가루로 해서 송편의 색이 누렇게 될테니까, 쑥물을 들이거나 다른 식용 색소를 넣는 것도 한 좋은 예이다.

✖ 밀가루 반죽을 손쉽게 하는 방법

밀가루에 알맞게 물을 넣어 대강 주물러서 덩어리를 만든다. 그런 다음 힘들여서 치대지 말고 이 덩어리를 깨끗한 비닐 봉지에 넣어 20분 가량 싸 두었다가 반죽을 하면 조금도 힘들이지 않고 반죽이 잘 된다.

❈ 국수를 맛있고 불지 않게 삶으려면

끓는 물에 국수를 넣고 어느 정도 끓인 다음 국수 한 가락을 끄집어 내서 타일벽이나 유리창에 던져서 만일 국수가 그 위에 붙으면 적당히 삶아진 것이고 붙지 않고 떨어지면 아직 덜 삶아진 것이다. 그리고 국수를 삶을 때는 국수를 잘 젓지 않으면 삶는 도중에 서로 달라붙는 수가 많이 있다. 또 삶는 도중이 아니더라도 건져내 식혀서 둘 때도 잘 달라붙는다.

그러니까 국수를 삶을 때 참기름이나 샐러드 기름을 한 숟가락 넣으면 국수가 붙지도 않고 또 한결 부드러워진다.

❈ 말랑말랑한 빵을 보기좋게 자르려면

칼을 불에 뜨겁게 쬐어서 잘라 보면 아무리 말랑말랑한 빵이라도 마치 기계가 자른 것같이 곱게, 그리고 쉽게 썰어질 것이다. 칼이 식으면 다시 불에 쬐어서 자른다.

❈ 삶은 계란과 생계란을 가려내는 방법

계란을 평평한 곳에 올려놓고 손가락으로 가볍게 돌려 본다. 빙글빙글 잘 도는 계란은 찐 계란이고, 두어 번 돌다가 서 버리는 계란은 날 계란이다.

✖ 계란은 씻어 두는 것이 나쁘다

계란은 살아 있는 것이기 때문에 물로 씻으면 호흡 작용이 잘 안 되어서 쉽게 상하게 된다. 그러니까 계절적으로도 계란이 상하기 쉬운 철에는 보관할 때도 아무렇게나 두지 말고 둥근 쪽이 위로 가게 하고, 냉장고에 보관을 하면 비교적 오래 가긴 하지만 이것도 10일 이상은 지나지 않도록 하는 것이 좋다.

✖ 계란을 곱게 찌는 방법

계란이 그릇에 부딪쳤거나 냉장고 속에 넣어 두었던 것을 갑자기 뜨거운 물에 넣기 때문에 껍질이 팽창해서 깨지는 것이다. 이럴 때는 끓는 물에 소금을 조금 집어넣거나 식초를 서너 방울 떨어뜨리면 깨진 곳에서 계란이 밖으로 흘러나오지 않고, 그대로 익게 된다.

✖ 겨울 배추의 저장

시골에서는 무 구덩이에 넣어서 보관할 수 있으나 도시에서는 어려운 일. 종이로 두세 겹 푹 싸고 군데군데 구멍을 뚫어서 약간 공기 유통이 되게 하면 비교적 오래 둘 수 있다.

저장 장소가 추우면 곤란하고 얼지 않을 정도의 장소면 좋다.

✠ 푸른 채소의 싱싱한 저장

미나리나 쑥갓 등이 먹다 남으면 미나리는 잎을 더러 다듬어 버리고 쑥갓은 그대로 파라핀 종이에 싸서 물에 담가 어두운 곳에 두고 매일 물을 갈아 주면 4~5일은 싱싱한 채 견딘다.

✠ 채소 보존법

옥시풀을 조금 섞은 물에 신문지 한쪽을 적시고 물에 적신 쪽을 안쪽으로 가게 두 겹으로 접는다. 이 신문지로 채소를 싸서 냉장고에 넣어 두면 여름에는 닷새쯤 신선한 채로 있다. 살이 무른 상추나 파슬리도 4~5일 보손된다.

주의할 것은 신문지를 푼 다음에는 속히 써 버려야 한다.

✠ 채소류를 깨끗이 말리려면

시래기나 고추 등을 말릴 때는 채소 자체의 태양별에 의한 변화를 막아야 한다.

따뜻한 물에 소금을 조금 섞어서 채소를 담갔다가 말리면 채소의 변색을 막을 수 있다.

가지나 호박 등은 수분이 비교적 적으므로 얇게 썰어서 볕이 잘 드는 유리문 안에 넣어서 말리면 직사광선·먼지를 피하게 되므로 변색을 막을 수 있고 또 위생적이다. 그리고 말린 오가리들은 따로따로 비닐 봉

지에 넣어서 봉하여 건조한 곳에 보관하면 오래 두어
도 곰팡이가 날 염려가 없다. 보관할 때는 대개 한번
사용할 만큼의 분량씩 봉해 두는 것이 내어 쓰기에 편
하다.

※ 무 등의 저장법

무를 늦은 봄까지 속이 안 비고 싱싱하게 보존하는
방법을 알아보자.

저장 구덩이의 깊이를 무의 길이만큼 파고, 넓이는
무의 수량에 따라 적당히 한 다음 무를 구덩이 한편에
서부터 모조리 세워 놓는다. 다음 무 사이에 가루흙을
넣고 무를 흔들어서 사이사이에 흙을 꼭 채우고 무 위
에 2~3cm 가량 얇게 흙을 덮는다. 그리고 거적이나
이엉으로 덮은 다음 북더기나 짚으로 얼지 않게 하고
수시로 한편에서부터 꺼내 쓰면 된다.

※ 냉장고의 식품 저장

냉장고에 간막이와 선반이 있다고 식품의 구별 없
이 상하로 마구 넣으면 때로는 음식의 맛을 손상시키
기 쉽고 지나치게 얼려 신선미를 잃게 되기도 한다.
식품은 각각 저장하는 데 적당한 온도가 있으므로 냉
장고의 사용법을 익혀야 효과적으로 이용할 수 있다.

육류와 햄·소시지·생선 등은 부패하기 쉬우므로
냉각기에서 가장 가까운 곳에 저장한다. 적당한 온도

는 섭씨 0~3도다.

일단 뜯은 캔 식품은 상할 우려가 있으니 섭씨 0~5도에 저장할 것.

사과나 배·레몬 등은 섭씨 3~5도를 유지할 수 있는 곳이면 좋으나 바나나같이 살이 무른 것은 냉장고에 오래 넣어 두면 오히려 상하기 쉽기 때문에 먹기 조금 전에 넣어 차게 하는 방법이 이상적이다.

대체로 과일은 저온 조절이 적당하니까 냉장고의 아래 칸이면 된다. 야채도 섭씨 5도의 온도 유지가 가장 좋으며, 수분 발산을 막을 수 있게 비닐 주머니에 넣어서 맨 아래 칸에 저장한다.

맥주나 사이다·우유 등은 너무 냉각하면 맛이 떨어지므로 비교적 온도가 높은 냉장고의 문 안쪽에서 10도를 기준으로 저장한다.

달걀은 특별히 냉각할 필요가 없는 식품이기 때문에 부패를 막을 정도로 보관하면 되므로 냉장고의 문 안쪽 맨 위에 두면 된다.

냉장고에 빈 자리가 있다고 해서 식품을 꼭 채워 넣으면 냉기의 대류가 잘 안된다. 냉장고의 크기와 식품의 분량을 대조하여 식품을 구입하도록 하고 생으로 먹는 음식과 냄새가 나는 음식을 구별하여 식품 서로의 냄새가 혼합되지 않도록 해야 한다.

냉장고 속은 늘 깨끗이 하고 문을 자주 여닫아 온도 변화가 생기지 않도록 해야 한다.

✖ 음식물을 시지 않게 하는 방법

구멍이 없는 비닐 봉지에 음식물을 넣고 꼭 매어서 찬물에 담가 두면 잘 시지 않는다.

✖ 질긴 쇠고기를 연하게 조리하는 법

고기를 식초나 배물로 씻어서 2시간 가량 두었다가 요리를 하면 매우 연하다. 또 한 가지는 고기를 요리하기 전에 먼저 식초로 씻어서 1시간 가량 놓아 두었다가 사용하면 훨씬 연해진다. 또 도마 위에다 헝겊을 깔고, 그 위에 고기를 올려 놓고 빈 음료수병으로 한참 두들겨 준다.

그러면 고기의 힘줄이 파괴되기 때문에 살이 한결 부드러워진다. 특히 고기를 구울 때는 병으로 두들기는 방법이 좋다.

✖ 쇠고기를 사는 요령

쇠고기를 살 때는 꼭 고기의 색깔을 주의깊게 보아야 한다.

만일 고기의 색깔이 검붉게 짙은 것은 거죽 부분에 있는 살로써 단단하고 질긴 것이며, 색이 붉으스레 엷은 것은 살은 부드러우나 맛은 그렇게 좋지가 않다. 고기의 색깔이 너무 엷으면 이것은 흠이 있는 소나, 어린 소의 고기로써 맛이 훨씬 뒤떨어진다. 가장 맛있는 고기의 색깔은 짙지도 엷지도 않은 중간 색으로써

선명한 붉은 색을 띄고 있는 것이다.

✖ 돼지고기 냄새를 내지 않는 요리법

돼지고기의 냄새를 빼고 산뜻한 요리를 하려면 생강을 썰어 넣고 함께 끓이면 된다.

생강이 없을 때에는 소주나 청주를 대용할 수도 있다. 또 돼지고기를 불에 구울 때는 종이를 한번 깔고 구우면 기름이 먼저 타버리지 않고 골고루 익게 된다. 그리고 또 돼지고기 편육을 만들 때는 삶아서 건지는 즉시 찬 냉수를 부어 식히면 누린내도 가시고 고기가 부서질 염려도 없어 아주 좋다.

✖ 고기의 보관법

돼지고기나 쇠고기를 사왔으나 분량이 남을 때 여름철에는 냉장고가 없으면 보관하기가 곤란하다. 이럴 때는 고기에다가 소금을 치고 여기에 콩기름이나 샐러드 기름을 발라 엷은 헝겊을 씌워 통풍이 잘 되는 곳에 놓아두면 10여일간은 보관할 수 있으며 냉장고에 보관하는 것보다 더 좋다.

판권본사소유

●행복한 가정을 위한 전통요리의 정수●

한 국 요 리

2005년 1월 20일 인쇄
2005년 1월 25일 발행

편 자 : 임 상 호
발행자 : 김 종 진
발행처 : 은 광 사

주소 : 서울시 중랑구 망우동 503-11
등록번호 : 제 18-71호
등록날짜 : 1997. 1. 8
전화 : 763-1258 / 764-1258

정가 8,000원